AVSTRIÆ.

LUVIUS

rgʒ.	26.	*Porta Stubensis.*	31. *Vniuersitas.*	36. *Hernalst.*	41. *Ad Scaphos Piscator:*
perti.	27.	*Porta Scotensis*	32. *Domus Senatorum Ciu.*	37. *Pons Altus.*	42. *Forum Boarium.*
na Tureis	28.	*Porta Nouæ.*	33. *Arsenale.*	38. *Locus Sanitatis.*	
m Arsenale.	29.	*Arx Cæsarea.*	34. *Domus Prætoria.*	39. *Domus Ponteriana.*	
	20.	*Arx Nouæ.*	35. *Capucinos.*	40. *Equile Cæsareum.*	

WIEN IN FARBEN
in colour – en couleurs

ROBERT LÖBL

WIEN IN FARBEN

IN COLOUR — EN COULEURS

*Mit mehrsprachiger Einführung
und mehrsprachigen Bilderläuterungen*

TYROLIA-VERLAG
INNSBRUCK · WIEN · MÜNCHEN

ISBN 3-7022-1186-1

Umschlagbild – Cover – Couverture: Belvedere, Wien

Vorsatzblätter:

vorne: Matthäus Merian, Topographia provinciarum Austriaca
hinten: Rudolf Alt, Die Opernkreuzung 1876, Historisches Museum der Stadt Wien

Bildtexte: Professor Franz Braumann, Köstendorf

Die Übersetzung besorgten:

Englisch: Christine Kuehnelt-Leddihn, Lans
Französisch: Alfred Geets, Innsbruck

1975

Alle Rechte bei der Verlagsanstalt Tyrolia Gesellschaft m. b. H. Innsbruck, Exlgasse 20
Satz, Druck und Buchbinderarbeit in der Verlagsanstalt Tyrolia Gesellschaft m. b. H. Innsbruck

Inhaltsverzeichnis

Aufgesang. Reinhold Schneider, Hugo von Hofmannsthal 7
Ostwind – Westwind: Ein Versuch über Wien. Gertrud Fussenegger 9
East Wind – West Wind, an essay on Vienna. Gertrud Fussenegger 19
Vent d'Est et vent d'Ouest: un essai sur Vienne. Gertrud Fussenegger 28
Musik und Theater in Wien. Ernst Wurm 37
Staatsoper. Josef Weinheber 39
Die Spanische Reitschule. Hans Handler 40
Ancien régime. Josef Weinheber 42
Das Schweizertor und der Schweizerhof. Alois Schmiedbauer 43
Kaisergruft. Josef Weinheber 43
Sankt Stephan als Symbol. Willy Lorenz 44
Der Stephansdom. Herbert Strutz 45
Das Riesentor. Hans Nüchtern 46
Das Kärntnertor-Theater. Richard Groner 47
Dirndl und Dame. Ann Tizia Leitich 48
Die „Gegend" vor der Burg. Fred Hennings 49
Liebeserklärung an die Ringstraße. Hannelore Valencak 50
Rathauspark. Max Stebich 51
Das Phänomen Wien. Anton Böhm 52
Vom alten Burgtheater. Marie von Ebner-Eschenbach 55
Frühling über Wien. Herbert Strutz 57
Die alte Josefstadt. Anton Wildgans 59
Die Strudlhofstiege. Heimito von Doderer 61
Abschiedsbrief an einen Wiener böhmischen Schuhmachermeister.
     Willy Lorenz 62
Der alte Herr Hofrat. Marie von Ebner-Eschenbach 66
Die schönen Frauen des Biedermeier. Ann Tizia Leitich 71
Von Wirten und Weinen. Josef Weinheber 73
Wiener Elegie. Ferdinand von Saar 73
Die Wiener Karlskirche. Alois Schmiedbauer 74
Das Belvedere – Friedensresidenz des Prinzen Eugen. Ernst Wurm 75
Maria am Gestade. Paula Grogger 77
Die Gärten Wiens. Hannelore Valencak 78
Schicksal und Geheimnis der Stadt. Willy Lorenz 79
Vom Wesen der Wiener. Adalbert Stifter 81
Vergangenheit in der Mariahilfer Straße. Herbert Strutz 82
Wien, die Stadt im Grünen. Josef Weinheber 84
Vorfrühling in Schönbrunn. Josef Weinheber 85
Park und Wasserspiele von Schönbrunn. Gertrud Fussenegger 86
Stadtrand-Impressionen. Josef Weinheber 89
Landschaft voll Wiener Erinnerungen. Herbert Strutz 91
Einst Lehen der Gruenzingen. Herbert Strutz 94
Grinzinger Weinsteig. Josef Weinheber 96

Erinnerung an Beethoven. Franz Grillparzer 97
Sieveringer Oktoberlied. Josef Weinheber 97
Blick vom Kahlenberg. Herbert Strutz 98
Am Heustadelwasser im Prater. Herbert Strutz 99
Nächtlicher Bisamberg. Rudolf Felmayer 101
Klosterneuburg. Reinhold Schneider 102
Wir Kinder von Wien. Oskar Maurus Fontana 104
Quellennachweis 107

Aufgesang

Nach einem munteren Abend beim Höllerl an der Straße nach Sievering – alle Geräte der niederen Stube hinter dem Hause aus ehrlichem Holz, und ebenso redlich ist der Wein, wenn ich auch beim Spezial bleibe und mich nicht an den Heurigen wage –, nach solchen bewegten Stunden, die Weinhebers schwerblütige Freude mit ein paar Klängen streifte, weht der Wind eisig von der Ebene her, auf der sich die Völker, Kelten, Römer, Markomannen, Goten, Langobarden, Awaren, Hunnen, Kreuzheere, Mongolen, Polen, Türken, und die Massenheere unserer Tage ausgestritten haben. Steile, zerfetzte Wolkengebilde jagen über den Mond, treiben dicht an der Erde hinaus. Nachts tragen die um den Aspernplatz kreisenden Wagen Mäntel aus Schnee; die Fenster beben. Wien ist von Anfang mit dem Winde vertraut. Er liebt seine Türme; er bricht sie nicht.

Reinhold Schneider

Die wundervolle, unerschöpflich zauberhafte Stadt mit dieser rätselhaften, weichen, lichtdurchsogenen Luft! Und unterm traumhaft hellen Frühlingshimmel diese schwarzgrauen Barockpaläste mit eisernen Gittertoren und geschnörkelten Moucharabys, mit Wappenlöwen und Windhunden, großen, grauen steinernen! Diese alten Höfe, angefüllt mit Plätschern von kühlen Brunnen, mit Sonnenflecken, Efeu und Amoretten! Und in der Vorstadt, diese kleinen, gelben Häuser aus der Kaiser-Franz-Zeit, mit staubigen Vorgarterln, diese melancholischen, spießbürgerlichen, unheimlich kleinen Häuser! Und in der Abenddämmerung diese faszinierenden Winkel und Sackgassen, in denen die vorübergehenden Menschen plötzlich ihr Körperliches, ihr Gemeines verlieren und wo von einem Stück roten Tuchs, vor ein schmutziges Fenster gehängt, unsäglicher Zauber ausgeht! Und dann, später abends, die Dämmerung der Wienufer: Über der schwarzen Leere des Flußbettes das schwarze Gewirre der Büsche und Bäume, von zahllosen kleinen Laternen durchsetzt, auf einen wesenlosen transparenten Fond graugelben Dunstes aufgespannt und darüber, beherrschend, die drei dunklen harmonischen Kuppeln der Karlskirche!

Hugo von Hofmannsthal

Der Heldenplatz mit dem Prinz-Eugen-Denkmal und der Neuen Hofburg. Die Neue Burg wurde in den Jahren 1881 bis 1913 erbaut. Sie war ein Teil eines großen Gesamtplanes, der als „Kaiserforum" geschaffen werden sollte. Auf dem prächtigen Bronzedenkmal ist der Sieger in vielen Türkenschlachten, Prinz Eugen, dargestellt.

Heldenplatz with the monument for Prince Eugene and the New Court Palace. The New Palace was built in 1881–1913. It was intended to form part of a great compound conceived as "Imperial Forum". The magnificent bronze monument represents the victor of many battels against the Turks.

La « Heldenplatz », ou Place des Héros, le monument du prince Eugène de Savoie et la nouvelle Hofburg érigée de 1881 à 1913. La nouvelle Hofburg devait faire partie d'un ensemble nommé le « Forum de l'empereur ». Cette magnifique statue de bronze représente le prince Eugène, qui vainquit les Turcs au cours de nombreuses batailles.

Der Wiener Volksgarten zur Zeit der Rosenblüte. Großzügig gestaltete Rosenanlagen sind auf dem Bild gleichsam die Bekränzung einer Weltstätte der Schauspielkunst, des Burgtheaters im Hintergrund. Dahinter sind die Doppeltürme der Votivkirche sichtbar.

The Vienna Volksgarten and its roses. Beautifully plannel rosebeds seem to be wreathing the Burgtheater, a theatrical centre of world renown. Behind it the twin steeples of the Votivkirche can be seen.

La roseraie du Volksgarten à l'époque de la floraison. Les magnifiques parterres de roses semblent couronner ce temple de l'art dramatique qu'est le Burgtheater (à l'arrière-plan). Derrière se dressent les deux tours de la Votivkirche.

Ostwind - Westwind:
Ein Versuch über Wien

Klima metaphorisch

Durch die Straßen von Wien weht der Ostwind. Er kommt aus den großen Ebenen jenseits der March und Leitha, aus den Großräumen und Völkerkammern unseres eurasischen Kontinents, die sich in geschlossener Folge bis an den Ural und noch weiter erstrecken. Unablässig streicht dieser Wind aus der Weite herein, mit ihm wandern die Dünen ferner Völkerschicksale. Sein Gesang ist das melancholische Lied der Steppe, das erregende Pathos unermeßlicher Fernen, der innige Melos noch immer jungfräulicher Wälder.

Aber über den Giebeln der Paläste, über den Kuppeln und zwischen den grünbehelmten Türmen weht eine andere Strömung, Westwind, Südwind, feucht, belebend, aus Himmeln kommend, die voll Ereignis sind, mediterrane und atlantische Strömung, die nicht nur den Glanz der nahen Alpengipfel, sondern auch die Glorie und den Schimmer aller zentraleuropäischen Kulturlandschaften hereinzuspiegeln scheinen. In Wien wehten schon immer Ostwind und Westwind zugleich.

Die Lage

Was ist eine Stadt? Durchformter Raum; Raum im Raum. Je bedeutender eine Stadt, desto weiter der Raum, auf den sie sich bezieht, der selbst auf sie bezogen wird. Wien liegt am Scheitelpunkt zweier großer kontinentaler Achsen.

Da ist die Donau, der einzige Strom, der unseren Erdteil ostwärts entwässert. Ihr Einzugsgebiet ist fünfmal so groß wie das des Rheins. Ihr Oberlauf führt durch die kleinräumigen, aber kulturintensiven Zentrallandschaften zwischen Alpen und deutschem Mittelgebirge. Wo sie in das großräumige Einzugsgebiet der Karpaten und der Balkangebirge eintritt, quert sie eine Schneise leicht passierbarer Tief- und Hügelländer, die die Alpen vom Karst, die Sudeten von der Jablunkakette trennt und damit von der Adria bis zur Oder, von Istrien bis an die Ostsee reicht. Die Alten nannten diese Nord-Süd-Passage die Bernsteinstraße. Sie schneidet die Donau im Raum von Wien. Die lokale Situation der Stadt bildet ihre Situation im Großraum wie in einem Modell noch einmal ab.

Jeder Besucher von Wien kann sich heute ohne Mühe und große Kosten einen Blick über die gesamte Stadtlandschaft verschaffen: er braucht sich nur mit dem Lift des WIG-Turmes in die gläserne Aussichtskapsel hinaufschießen lassen und an einem der Fenster Platz nehmen. Die Kapsel dreht sich und führt ihm das ganze Panorama binnen einer Viertelstunde vor.

Beginnen wir im Nordwesten: da tritt die Donau aus der Lücke zwischen dem Bisamberg und den Zwillingsköpfen des Leopolds- und Kahlenbergs hervor, ein stolzer Strom mit starkem Gefälle. Nun liegt die Ebene vor ihm, die sein Gefälle zurückstaut und ihn ehemals in unzählige Nebenarme, Tümpel und sumpfige Auen zerstreute. Noch ist als Restbestand buchtenreicher Altwässer und verzweigter Rinnsale die sogenannte Alte Donau da, ein sichelförmig gebogenes, dicht um-

Der Heldenplatz mit dem Denkmal des Erzherzog Karl. Der österreichische Feldmarschall Erzherzog Karl besiegte 1809 in der Schlacht von Aspern als erster Kaiser Napoleon. Das Denkmal auf dem Heldenplatz zeigt ihn als siegreichen Heerführer. Den Hintergrund schließt der Prachtbau der neuen Hofburg ab.

Heldenplatz with the monument of Archduke Charles, the Austrian Field Marshal who, in the battle of Aspern in 1809, was the first to defeat Emperor Napoleon. The monument shows him as victorious commander. In the background we see the impressive New Palace.

La Heldenplatz et le monument de l'archiduc Charles. Feldmaréchal autrichien, l'archiduc Charles fut le premier chef d'armée qui vainquit Napoléon à Aspern en 1809. Ce monument représente l'archiduc remportant la victoire. La toile de fond est formée par le monumental bâtiment de la nouvelle Hofburg.

grüntes Binnenwasser ohne sichtbare Verbindung zum Mutterstrom; ein zweiter Restbestand: der vollregulierte Donaukanal. Wo sich an seinem südwestlichen Ufer das Gelände in einer ersten Stufe aufwirft, liegt die Urzelle der Stadt, die nahezu kompakte Häusermasse des ersten Bezirkes. Aus ihm sticht die schlanke Nadel des Stephansdomes hervor.

Dahinter sanfte Hügelwellen, die das Häusermeer bis an den Wienerwald herantragen. Die Stadt erklettert seine Hänge, schmiegt sich in seine Täler ein und folgt ihm bis in die gesegneten Gelände von Gumpoldskirchen, Baden und Vöslau. Im Süden verflacht der Horizont und fließt, von nur leisen Dünungen geschwellt, ins unabsehbar Ebene hinaus. Dort verläuft, kaum vierzig Kilometer entfernt, die ungarische Grenze; ihr schließt sich in etwa doppelter Entfernung die mährisch-tschechische Grenze an. Dazwischen – eine riesige, mit Siedlungen durchstreute, im Hochsommer korngelb und grün gemusterte Tafel, das Marchfeld: eines der großen Manövergelände der Weltgeschichte, auf ihm wurden die Schlachten bei Dürnkrut, Wagram und Aspern geschlagen.

Die geschlossene Besiedlung bedeckt nur etwa die Hälfte der Fläche von Groß-Wien.

Das Wachstum der Stadt erfolgte von allem Anfang an in zwei Richtungen, stromwärts und bergwärts. Stromwärts: hier lagen die Hafenbecken der Donauschiffe, Werften, Fischersiedlungen, Flößerherbergen, Korbflechtereien, hier setzten sich alle Gewerbe fest, die mit dem Transportwesen zu Wasser zu tun hatten und die fluktuierenden Elemente anzogen, die es sich auch gefallen lassen mußten, daß ihre Hütten und Werkstätten immer wieder vom Hochwasser zerstört wurden. So wurden hier auch die Juden angesiedelt und die Budenstadt des Praters. Noch erinnert der Name „Bretteldorf" an den Charakter fragwürdiger Vorstädte. Die Besiedlung bergwärts erfolgte unter anderen Vorzeichen: hier traf man auf Bauernland, Weinhauerland. Ein Kranz reizender Dörfer besetzte die Hänge, ehe die Stadt zu ihnen hinaufwuchs und sie in sich einverleibte, ohne doch ihre alten Ortskerne ganz aufzulösen. Hier ist – zwar kleinräumiger, aber kulturintensiver Boden. Die enge Verbauung gibt schwierige Verkehrsprobleme auf. Zweifellos wird die Stadt in Zukunft in Richtung Norden und Osten, in die Ebene hinauswachsen. Der Zug des Beiläufigen und Willkürlichen, der hier bis vor kurzem vorherrschte, wird von einer großzügigen Planung allmählich abgetragen werden. Schon zeichnet sich ein Kranz moderner Suburbs ab: die hellen Prismen der Hochhäuser weisen auf die Entstehung neuer Zentren hin.

Gründung und früher Verfall

Wiens Geschichte beginnt um die Zeitwende. Zwar ist eine Besiedlung der Gegend seit etwa 3000 vor Christus durch spätsteinzeitliche Funde bezeugt, aber erst mit dem Erscheinen der Römer an der Donau setzt die im engeren Sinne historische Epoche ein. Wien – Vindobona (der Name ist keltischen Ursprungs) wurde als fester Stützpunkt der zehnten Legion im ersten Jahrhundert gegründet und hatte neben dem inzwischen verfallenen Carnuntum die hochgefährdete Provinz Pannonien gegen beute- und wanderlustige Jazygen und Quaden zu sichern. Das Lager befand sich im Nordwesteck des heutigen ersten Bezirkes zwischen Graben, Naglergasse, Tiefem Graben, Rot- und Krämergasse. Die nordwestliche, dem Feind zugekehrte

Wallinie zeigte auffallenderweise kein Tor, sie folgte dem Steilufer gegen die Altwasser- und Sumpflandschaft, die sich später zum Donaukanal zusammenzog. Wir haben uns diese früheste Keimzelle der Stadt als nüchternen Festungsbau vorzustellen. Im Süden des Lagers – im Gebiet des Rennwegs – befand sich die wahrscheinlich schmuckhaftere Zivilstadt, doch deren Schicksal war schnell besiegelt, als – mit dem allgemeinen Verfall des Imperiums – im vierten Jahrhundert die Völkerwanderung losbrach. Ostgoten, Vandalen, Langobarden und Awaren ergossen sich über die Grenzen und fegten der Reihe nach über Pannonien hinweg. Die Bevölkerung versuchte sich in die befestigte Mansion zu retten, doch sicher wurde auch diese genommen, gebrandschatzt und ausgemordet. Immerhin scheinen einige Reste des Lagers erhalten geblieben zu sein, denn auf und in ihnen etablierte sich eine Fluchtburg, eine letzte dürftige Zufluchtsstätte, in der sich die folgenden Generationen immer wieder zu verschanzen versuchten und zu überstehen hofften. Vier Jahrhunderte lang brauste ein Sturm nach dem andern über das Land, schier unerschöpflich spien die östlichen Weiten immer neue Völker aus. Nur mit Mühe lassen sich einige Daten rekonstruieren, so – daß die Langobarden das Land an die Awaren abtraten, daß das kurzlebige Slawenreich des Samo seine königliche Residenz in Wien aufgeschlagen habe, daß das Christentum Fuß faßte und seine ersten Gotteshäuser errichtete: unter der barocken Peterskirche haben sich die Grundmauern einer Saalkirche mit großer Apsis aufspüren lassen. Schließlich erscheint – Nachzügler der großen Wanderung – das damals noch heidnische Reitervolk der Magyaren ...

Indessen aber ist – vorerst als kurzes Zwischenspiel – Grundsätzliches geschehen: Karl der Große hat sein Reich errichtet und die Gegenbewegung vom Westen her eingeleitet. 791 gründet er die Awarische Mark. Wien wird Sitz eines fränkischen Grafen und Grenzfestung einer Staatskonstruktion, die bis an den Atlantik reicht. Freilich zerbricht der große Entwurf schon nach einem Menschenalter. Noch einmal schwärmen die magyarischen Reiterscharen ein ..., erst kurz vor dem Jahre 1000 wird das östliche Alpenvorfeld als alte Awarische Mark wiederhergestellt, dann als Ostarrichi an das Heilige Römische Reich angegliedert. Es hat hinfort nicht sosehr die Nordsüdachse der alten Bernsteinstraße, als vielmehr die durch die Donau geöffnete Ostpforte des Abendlandes zu schützen und abzuriegeln. Bald zieht die vorgeschobene Bastion weitere Vorfelder an sich und wird zum weithin wirkenden Strahlungskern. Diese Entwicklung kündigt sich unter den Babenbergern an und vollzieht sich unter den Habsburgern.
Doch – ich greife vor.

Das gotische Wien

Wie haben wir uns die Stadt im hohen Mittelalter vorzustellen? Zuerst als winziges Häufchen schmalbrüstiger Häuser innerhalb der ehemaligen Fluchtburgmauern. Aber bald setzt es neue Gassen und Plätze an. Das städtebauliche Schwergewicht wandert von St. Peter und St. Ruprecht der neugegründeten Stephanskirche nach: Noch ist sie nicht die gotische Hallenkirche, die wir kennen, die hochragende Kathedrale mit dem fialenreichen Turm. Nur im Heidentor hat sich ihre schwerlötig-ernste, beinahe noch dämonisch umwitterte erste Gestalt erhalten. Indessen verlegt der Babenberger Heinrich Jasomirgott seine Residenz aus Klosterneuburg nach Wien. Friedrich II., der Hohenstaufe, erhebt das kräftig aufstrebende Gemeinwesen in den Stand der Reichsunmittelbarkeit; doch dieser gilt wenig, da das Reich selbst erschüttert und das Kaisertum selbst im Begriff ist, im Chaos des Interregnums unterzugehen. Doch vierzig Jahre später, 1276, zieht hier mit dem neugewählten König Rudolf jenes deutsche Fürstengeschlecht ein, das sich, mit realpolitischem Sinn begabt, nahezu fünf Jahrhunderte lang an der Spitze des Reiches halten sollte und dessen Position, eine der wenigen Konstanten in der europäischen Geschichte, vor allem auf dem Besitz von Wien und der sich um Wien gliedernden Räume beruhte. Beim Einzug des ersten Habsburgers in die Burg der ausgestorbenen Babenberger schlug eine neue Weltstunde: abgeschrieben war das alte Kaisertum als rein spirituelle Ordnungsmacht, ein Traum, der zu groß und zu schön war, um sich realisieren zu lassen. Rudolf hatte aus dem Scheitern seiner Vorgänger gelernt, die, ohne sich auf eine feste Hauptstadt zu stützen, von Pfalz zu Pfalz umherziehend, ihr kaiserliches Richter- und Schlichteramt hatten ausüben wollen. Er und sein Nachfolger betrieben Hausmachtpolitik, d. h., sie bemühten sich, geschlossene Länderkomplexe um sich zu sammeln und von einem festen Punkt aus zu regieren. Einer dieser festen Punkte war Wien. Im 14. Jahrhundert trat ihm das luxemburgische Prag konkurrierend gegenüber. Aber die Stadt an der Donau lief jenem den Rang ab; sie war auf den größeren Raum bezogen.

Der Herbst des Mittelalters ist angebrochen, die Neuzeit dämmert mit neuen Konstellationen herauf. Wieder trägt ein Habsburger, Friedrich III., die Krone. Doch es ergeht ihm übel genug: mit seiner Verwandtschaft verfeindet, in endlose unglückliche Kriege verwickelt, überall verschuldet und verfolgt, irrt er schließlich unstet herum. Dennoch spinnt er an Weltmachtsplänen und versieht alles, was er noch besitzt, mit den Initialen A. E. I. O. U. – Austria est imperare orbi universo, Österreich ist berufen, über den ganzen Erdkreis zu herrschen. Man möchte meinen: eine Spottfigur, zum Untergang verurteilt. Dennoch legt gerade er den Grundstein zu imperialem Wachstum. Es gelingt ihm, seinen Sohn Maximilian mit der Erbin von Burgund zu verloben, dieser Ehe entspringt Philipp, der seinerseits die Erbin von Spanien, den Niederlanden, Sizilien und Neapel heimführt, von Spanien aus wird Amerika entdeckt..., nun ist ein Reich entstanden, in dem die Sonne nicht mehr untergeht; weitere Konnubien begründen Erbrechte auf Böhmen, Mähren und Ungarn. Das Haus Österreich erhebt sich in seinem bedeutendsten Sohn, Karl V., zu höchster menschlicher Würde und damals realisierbarer planetarischer Macht. Es regiert von zwei Hauptstädten aus, Madrid und Wien. Dieses Imperium ist vor allem katholisch, antireformatorisch und übernational.

Nun dringt das mediterrane Element in Wien ein: Spanisches Hofzeremoniell herrscht in der Burg, spanische Räte stützen den Thron, spanischer, italienischer und wallonischer Offiziersadel tritt gleichberechtigt neben die alten eingesessenen Adelsgeschlechter. Der Dreißigjährige Krieg aber entfremdet Deutschland seinem Kaiser; und doch hatten eben diese Kaiser als österreichische Landesherren, aber auch als christliche Souveräne, dieses selbe Deutschland vor einer tödlichen Gefahr zu schützen, denn das längst schon bedrohlich erstarkte Osmanische Reich entsendete seine Heere gegen Wien, um nach Schleifung dieses Bollwerks längs der Donau in das Herz Europas vorzustoßen. Zweimal wurde Wien belagert und widerstand. Der Verwandte des Kaisers, Prinz Eugen von Savoyen, holt zum

Der Danubiusbrunnen (errichtet 1869) vor der Albrechts-Rampe der Albertina. Unter den Symbolgestalten der großen Brunnen des alten Österreich nimmt der Danubiusbrunnen vor der Albrechts-Rampe eine bevorzugte Stellung ein. Die Figurengruppe stellt den Flußfürsten der Donau zusammen mit der Schutzgestalt Wiens, der Vindobona, dar.

Danubius Fountain (built in 1869) at the foot of the Albertina's Albrecht's Ramp. The symbolic figures of this typically Austrian fountain construction represent the river god of the Danube together with Vindobona, the protectress of Vienna.

La fontaine du Danube (érigée en 1869) devant la rampe Albrecht de l'Albertina. Elle revêt une importance particulière parmi les statues symboliques des grandes fontaines de l'ancienne Autriche. Ces statues représentent le prince du Danube et Vindobona, la déesse protectrice de Vienne.

Prunksaal der Nationalbibliothek. Die großartige Raumgestaltung Joseph Emanuel Fischer von Erlachs 1723 bis 1726 mit ihrer reichen Innenausstattung macht ihn zum prächtigsten Bibliothekssaal der Welt. Das Deckenfresko an der lichtdurchfluteten Kuppel von Daniel Gran verschmilzt Architektur und Malerei zu unübertroffener Einheit.

Gallery of state in the National Library. Joseph Emanuel Fischer von Erlach created the richly decorated library room between 1723 and 1726; it is perhaps the most splendid of its kind in the entire world.

Salle d'apparat de la Bibliothèque Nationale. L'imposante architecture intérieure de Joseph Emanuel Fischer von Erlach 1723 à 1726 et les riches ornements en font la plus belle salle de bibliothèque du monde.

Hofburg. Der Josefsplatz mit dem Denkmal Kaiser Josef II. Dieses Denkmal schuf der Bildhauer Franz Anton Zauner 1795–1807. Das Gebäude der Nationalbibliothek dahinter erbaute 1723–1737 Joseph Emanuel Fischer von Erlach nach den Plänen seines Vaters Johann Bernhard Fischer von Erlach.

Court Palace and Josefsplatz with the monument of Emperor Josef II. This monument was created by Franz Anton Zauner between 1795 and 1807. The National Library behind it was built by Joseph Emanuel Fischer von Erlach 1723–1737 according to the plans of his father, Johann Bernhard Fischer von Erlach.

Hofburg, le Palais impérial. La Josefsplatz et le monument de l'empereur Joseph II. Le sculpteur Franz Anton Zauner exécuta ce monument de 1795 à 1807. La Bibliothèque Nationale se trouve derrière et fut construite de 1723 à 1737 par Joseph Emanuel Fischer von Erlach, suivant les plans de son père Johann Bernhard Fischer von Erlach.

Sarkophagschmuck Karls VI. in der Kapuzinergruft. Die Kaisergruft der Habsburger unter der Kapuzinerkirche wurde 1622 zu bauen begonnen. In dieser ruhen die Kaiser dreier Jahrhunderte. Einer der eindrucksvollsten der 138 Metallsärge ist der Sarkophag Karls VI.

Decoration on the sarcophagus of Charles VI in the Capuchin Vault. The Imperial Vault of the Habsburgs underneath the Capuchin church was begun in 1622. One of the most impressive of the 138 metal coffins is the sarcophagus of Charles VI.

Ornements du sarcophage de Charles VI dans le caveau des Capucins. La construction de la sépulture impériale des Habsbourg, sous l'église des Capucins, fut commencée en 1622. Les empereurs de trois siècles y sont inhumés. Le sarcophage de Charles VI est le plus imposant des 138 cercueils métalliques.

Gegenstoß aus, „schlägt bei Belgrad eine Brucken, drauf er konnt hinüberrucken . . ." So wird nun auch der Karpatenraum für das Abendland gewonnen.

Wien rüstet sich zum großen Freudenfest des Barocks. In einer Emphase ohnegleichen wirft es das alte, einfache gotische Kleid ab und schlüpft in neue Prunkgewänder. Anstelle schmalbrüstiger, winkeligfinsterer Häuser werden breite Paläste aufgeführt. Lichtfangende Kuppeln durchstoßen das Maßwerk alter Hallenkirchen. Das Belvedereschloß des Türkenbesiegers erhebt seine kupfergrünen Zeltdächer. Schönbrunn wird geplant und begonnen, der wehrhafte Charakter der Hofburg, als anachronistisch empfunden, einer großzügig geöffneten Anlage zuliebe demontiert. Nebenan entsteht der Wunderbau der Hofbibliothek: ein Zeichen dafür, daß sich das Herrscherhaus – dem Zug der Zeit folgend – auch dem Geist der Wissenschaft mehr und mehr verpflichtet fühlt. Die Düsternis des spanischen Hofzeremoniells weicht neuen, helleren Farbtönen, der aufgewühlte Lebensüberschwang des Barocks verflimmert im zarteren Rokoko.

Der Anspruch des aufgeklärten Absolutismus, Anmut, Macht und Humanitas zu vermählen, scheint durch Maria Theresia für einen glücklichen Augenblick verwirklicht, doch schon unter ihrem Sohn Joseph verfällt jener Anspruch tragischer Spaltung. Unter seiner Herrschaft beginnt der Lebensstrom schon ein wenig dünner zu fließen. Längst sind die staatspolitischen und auch familiären Bande zu Spanien gelockert. Über den Ländern des Hauses Österreich geht die Sonne sehr wohl wieder unter. Die habsburgischen Vorlande am Rhein sind verloren, Schlesien ist an Preußen gefallen, damit ist die Präponderanz des deutschen Elements in der Monarchie schwer erschüttert. Die mit der kindlichen Prinzessin Marie Antoinette erkaufte Allianz mit Frankreich schlägt in der Französischen Revolution in blutige Feindschaft um. Unter Josephs zweitem Nachfolger Franz wird das römische Kaisertum liquidiert, und Napoleon diktiert in Schönbrunn einen seiner härtesten Friedensschlüsse.

Noch einmal – nach Waterloo – wird Wien zum weltgeschichtlichen Mittelpunkt. Der Kongreß tagt, der Kongreß tanzt, aber der eigentliche Sieger über die Bonapartische Fremdherrschaft, das von Freiheitsidealen entflammte Volk, wird durch Metternichs Mißtrauen zum bloßen Statisten im Schauspiel dynastischer Selbstdarstellung herabgedrückt.

Notgedrungen bescheidet sich das Volk von Wien in biedermeierlichen Puppenstuben; man lebt geruhsam-gemütlich, macht Landpartien, treibt Kammermusik. Die Romantik entdeckt das Menschenherz als kleinen, eigengesetzlichen Kosmos, Schuberts trunkene Klangakkorde fordern zum Selbstgenuß der eigenen seelischen Unausschöpflichkeit auf.

Doch schon rollt die erste Dampfmaschine, schon klappern die Webstühle in ersten Fabriken. Die Bauern rufen nach Befreiung von Kolonendiensten, die Studenten nach Abschaffung der Zensur, die Arbeiter nach höheren Löhnen. In Ungarn flammt eine Revolution auf. Wiener Truppen sollen sie niederwerfen, aber man sympathisiert mit den Aufständischen, und um den Ausmarsch der eigenen Soldaten zu hindern, knüpft man den kaiserlichen Kriegsminister an einem Laternenpfahl auf.

Der junge Kaiser Franz Joseph beginnt seine lange Regierungszeit mit einer Reihe von Schlachten gegen seine eigenen Untertanen. Seltsamerweise konnte er sich von dieser ersten tristen Phase seiner Regentschaft nie ganz lossagen. Hatten ihm die gegen die Insurgenten erzielten Erfolge sein Gottesgnadentum bestätigt? Er war ein nüchterner Mann, pflichttreu bis zur Selbstaufgabe, fleißig und auf trockene Weise pietätvoll. Als erster Soldat seiner Armee schlief er in einem eisernen Feldbett und als erster Beamter seines Staates wälzte er Tonnen von Akten auf seinem Schreibtisch. Diese Akten, Berichte und Petitionen hatten ihm nur allzu selten Erfreuliches zu melden; summa summarum enthielten sie den langen Text über nur eine einzige, von Jahrzehnt zu Jahrzehnt sich verdeutlichende Tatsache: daß die zentripetalen Kräfte in der Monarchie an Kraft gewannen, daß die Magie der Krone verfiel, daß man nicht mehr gewillt war, die Einheit des Donauraumes anzuerkennen.

Trotzdem – oder vielleicht gerade deshalb – schritt man in der franzisko-josephinischen Ära dazu, die Hauptstadt dieses brüchig werdenden Reiches zu einer modernen Kapitale von deutlich imperialem Charakter umzuschaffen. Man schleifte die Festungen, die den ersten Bezirk immer noch umschnürten, und legte eine der berühmtesten Prachtstraßen der Welt, den Ring, an. Auch der Gürtel fiel, der die neueren Bezirke umschloß. Die ganze Stadt glich einer ungeheuren Baustelle. Kaiserliche Parks öffneten ihre Tore und wurden zur öffentlichen Benützung freigegeben, Burgtheater und Oper in Ausmaßen errichtet, die darauf hinwiesen, daß auch sie dem Volk zugedacht waren. Aus den Kunstsammlungen und Naturalienkabinetten der Dynastie wurden die beiden großen Museen, das Kunsthistorische und Naturhistorische, beschickt: sie stehen wie zwei gigantische Juwelschreine in der Nähe der Burg und auf dieselbe Achse zugeordnet. Eingemeindungen erfolgten reihenweise, die Fläche Neu-Wiens erweiterte sich von den wenigen Quadratkilometern auf deren 270, und die Zahl der Einwohner stieg von 360.000 auf mehr als zwei Millionen.

Das ist nun Wien, Hauptstadt eines Staates, den Bismarck ein altes, wurmstichiges Orlogschiff, den Jérôme Bonaparte gar einen Kadaver nennt und von dem der eigene Kaiser in einem Gespräch mit einem ausländischen Diplomaten zugibt: Ich weiß, daß wir in der heutigen Zeit eine Anomalie darstellen. Eine Anomalie? Warum? Weil dieser Staat die Physiognomie vieler Völker trägt und nicht nur eines einzigen wie die anderen, klassischen Nationalstaaten, Frankreich, England, seit neuestem auch Italien. Darum wird Österreich nicht verstanden und ist als Völkerkerker verschrien; und doch gilt seine Hauptstadt für eine der heitersten, angenehmsten, reizendsten Städte der Welt. Und das schon seit langem. Seit wir schriftliche Zeugnisse über Wien haben, ist sich der Chor der Beurteiler darin einig: Hier ist gut sein. Ob nun Walther von der Vogelweide vom „wünneclichen Hof zu Wiene" spricht, ob der Reisende Bonfini 1480 die liebliche Gegend preist – „geschmückt von Fischteichen, Jagdbarkeiten, Häusern und Gärten, mit jedem Bedürfnis, mit jedem Genusse des Lebens" – oder Montesquieu die pikante Bemerkung macht, sogar Frauen von sechzig Jahren hätten in Wien ihre Liebhaber, auch die Häßlichen würden geliebt und – „enfin, man stirbt zu Wien, aber man altert hier niemals", immer klingt ein Ton der Behaglichkeit mit, einer unreflektierten und darum überzeugenden Sympathie.

Diese allgemeine und durch Jahrhunderte bezeugte Sympathie kann nur als Antwort begriffen werden, Antwort auf die hier wehende Lebensluft oder den Genius loci oder wie immer wir das Unnennbare nennen wollen.

Es muß wohl etwas Besonderes dabei sein: ein Element der Menschenfreundlichkeit, wie es in anderen großen Städten nicht so leicht anzutreffen ist; eine Spur leichtfertigen Phäakentums; dazu eine Prise Melancholie; ein Schuß ungenierter Freiheit, die zu witzig ist, um mit burschikosen Gesten aufzutrumpfen; eine Spielart der Mitteilsamkeit, die fein genug ist, sich selbst zurückzunehmen; ein Mixtum compositum aus vielen Widersprüchen, Halb- und Vierteltönen, ein Konzert, in dem auch noch die Trompete etwas von Geigenklang, der Geigenklang noch etwas von Dudelsack hat.

Dieses Wien also war es, das in seiner letzten imperialen Epoche eine geradezu magische Anziehungskraft auf die Völker der alten Monarchie ausübte. In Scharen strömten sie der Hauptstadt zu. Was suchten sie da? Arbeit und Brot, gewiß. Aber darüber hinaus suchten sie noch anderes: Teilnahme an einer Welt, die sie für höher hielten als die eigene, und die sich in ihren Vorstellungen manchmal mit phantastischen Inhalten auflud. Je ferner die Provinz war, aus der sie stammten, desto sonderbarer konnten diese Vorstellungen sein.

Ich möchte hier – gleichsam in Parenthese – eine kleine, aber wahre Anekdote erzählen, die mir für das alte Österreich im allgemeinen und für das Verhältnis des balkanischen Österreich zu Wien im besonderen überaus typisch erscheint.

Zu einem deutschen Arzt in Siebenbürgen kommt ein Zigeunerprimas. Der Arzt kennt den Mann, der Mann hat Vertrauen zu dem deutschen Doktor. So bringt er eine Bitte vor: er möchte nach Wien, einmal nur im Leben nach Wien, um dort den Kaiser zu sehen. Der Herr Doktor „bittesär" möchte ihm dort eine Stelle als Kaffeehausgeiger verschaffen.

Der Doktor verspricht sich zu bemühen; und richtig, eines Tages ist es soweit, der Primas hat seinen Posten und fährt nach Wien ab. Nach drei Monaten kommt er wieder. Er will sich beim Doktor bedanken. „Särr schen war Wien . . ., särr groß." – Der Doktor will wissen, ob er auch den Kaiser gesehen habe. „O ja. Särr schener, feiner Herr." Trotzdem merkt der Doktor dem Zigeuner irgendeine Enttäuschung an. Er dringt in ihn, er fragt ihn aus, was habe ihn an der Erscheinung des Kaisers gestört? – Der Zigeuner will zuerst nicht mit der Sprache heraus. Dann gesteht er: „Ist ja ein Mensch wie Sie und ich." Der Doktor: „Was hast du denn gedacht?" – Der Zigeuner wiegt den geölten Lockenkopf: „Hab ich mir Kaiser mehr gedacht – wie Doppeladler."

Das republikanische Wien

Das Ende der alten Monarchie war seit Jahrzehnten vorausgesagt worden, dann trat es jäh und für viele doch unerwartet ein. Ohne schonende Zwischenlösung erfolgte der Zerfall von einem Tag zum andern. Schwere Zeiten brachen für Wien an; die hungernde Stadt nahm Ströme von Rückwanderern aus allen Provinzen auf. Die Dynastie war vertrieben, das Volk war frei, aber nicht frei von der Notwendigkeit, mit sich selbst ins reine zu kommen.

Wien blieb als „die graue Witwe der Habsburger" zurück. Es hatte eine Hinterlassenschaft zu verwalten, deren Agenden über seine Kräfte ging. Als Wasserkopf gescholten, durch die Inflation ausgepowert, von politischen Krisen geschüttelt, sollte es eine imperiale Erbschaft antreten. Was einst eine der größten Kontinentalmächte in den Blütenzeiten mehrerer Jahrhunderte erbaut und erstellt hatte, sollte nun ein kleines, notleidendes Sechsmillionenvolk instandhalten. In diesem Augenblick sah sich Wien auch von der österreichischen Provinz verlassen. Die Bundesländer hatten genug mit sich selbst zu tun. Mißmutig und argwöhnisch betrachteten sie die große Stadt, deren Aufwand, deren Dimensionen und deren soziale Probleme ihre eigenen Maßstäbe überstiegen. So konnte es nicht ausbleiben, daß die deutsche Okkupation im Jahre 1938 von einem Teil der Bevölkerung begrüßt wurde: Nun war man endlich wieder an einen Großraum angeschlossen, wenn dieser auch nicht im Osten, sondern im Westen und Norden lag. Wien erhoffte eine Erneuerung seiner imperialen Rolle. Umso tiefer war die Enttäuschung, als es sich nicht nur dem Berliner Zentralismus unterworfen, sondern sogar seines Einflusses auf die alpinen Provinzen beraubt sah. Es sollte sich von nun an als ein Gau unter anderen Gauen der Technokratie des Dritten Reiches fügen.

Obwohl jeder eigenen Willensbildung entkleidet, erwies sich das rein materielle Gewicht seiner Lage als ein – in der Folge freilich verhängnisvolles – dynamisches Element. Kaum war die Donaupforte eingenommen, setzte sich die Weltgeschichte in rasendem Tempo in Bewegung. Mit einem Male war die Tschechoslowakei umklammert, und die – bezüglich des deutschbesiedelten Raumes – exzentrische Lage von Wien verführte den kalten Machtpolitiker Hitler dazu, augenblicklich zum Angriff, zur Zangenbewegung überzugehen. Sechs Jahre lang schienen, wie es in einem damals kursierenden Witz hieß, alle Grenzsteine Europas motorisiert zu sein. Dem brutalen Vorstoß aus der Mitte antwortete freilich der universale Gegenstoß. Er endete mit einem katastrophalen Schwund des deutschen Siedlungsraumes im Osten und der Spaltung Deutschlands. Nur vor und rings um Wien blieben die alten Vorkriegsgrenzen bestehen. Das große Würfelspiel der Geschichte hatte zum zweitenmal dieselbe Konstellation ausgeworfen: Wien als Hauptstadt eines kleinen, aber konstant gebliebenen Staatsgebietes.

Diese Wiederholung eines schon einmal angebotenen Bestandes hat das Volk von Österreich davon überzeugt, daß dieser Bestand seinen guten Sinn hat und daß das staatspolitische Gebilde, in dem es lebt, ein echtes Vaterland darstellt. Die Erinnerung an einstige Größe drückt nicht mehr. Das imperiale Element der Hauptstadt hat den Charakter einer gespenstischen Kulisse verloren. Niemand denkt mehr daran, Wien als die graue Witwe der Habsburger zu bezeichnen. Es hat sich verjüngt. Es lernte, daß Freiheit mit weiser Selbstbeschränkung zu vereinbaren ist, seine Neutralität ist ein Beitrag zum Frieden.

Wer ist der Wiener?

Ich nähere mich dem Ende meiner Ausführungen. Ich konnte, als ich mit ihnen begann, nicht hoffen, mehr als nur das Beiläufigste in sie aufnehmen zu können. Über eine Stadt wie Wien könnte man tausend Bände schreiben, um am Ende des tausendsten zu gestehen, daß ihre Vielschichtigkeit, Mannigfaltigkeit und Komplexität auch der ausführlichsten Aussage spottet.

In diesen Seiten war viel vom Raum und wechselnden politischen Strukturen und wenig vom Menschen die Rede. Auch die Künste blieben mehr oder minder ausgeklammert. Nicht einmal die Musik kam zur Sprache, obwohl der musikalische Beitrag Wiens den aller anderen europäischen Kapitalen zusammengenommen aufwiegt, wenn nicht gar übersteigt. Auch die Namen der Dichter,

Maler, Bildhauer und Architekten blieben ungenannt sowie die der großen Ärzte, Erfinder und Soziologen. Eine große Stadt vom Range Wiens ist immer wie ein riesiges Schachbrett, auf dem der menschliche Geist mit einer Unzahl von Figuren zum Spiel mit sich selbst antritt. Die Partie ist unendlich, und die Geschichte verfolgt nur die Züge der Hauptfiguren. Die Rolle des Fußvolks bleibt unbeschrieben, obwohl es oft genug die Konstellation entscheidet. Neuerdings versucht die Statistik, auch diese Rolle irgendwie mitzuerfassen. So vieldeutig ihre Aussagen sind, wir möchten doch noch unsere Frage: Wer ist der Wiener? in ihre Kompetenz stellen.

Aber zuvor schränken wir unsere Frage noch einmal ein: Woher kommt der Wiener? Aus welchen ethnischen Grundstoffen setzt sich das Volk von Wien zusammen? Keine Großstadt erhält sich aus sich selbst; immer oder fast immer ist Zuwanderung nötig, um den biologischen Bestand zu erhalten oder gar zu vergrößern.

Von römischer oder frühmittelalterlicher Urbevölkerung kann kaum noch eine Spur vorhanden sein. Günstiger ist die Chance fränkisch-bayrischer Kolonisation unter den Babenbergern zu beurteilen. Den Habsburgern folgten alemannische Kontingente aus ihrer Schweizer und schwäbischen Heimat. Auch aus den Alpenländern dürfte ein immerwährender Zuzug stattgefunden haben. Von der maximilianischen Epoche an fließt romanisches und niederländisches Blut ein. Frankreich vertreibt seine Hugenotten, viele von ihnen finden hier eine Heimat. Alle diese Infiltrationen gehen – sozusagen – auf legale und gelenkte Weise vor sich, sie dürften sich vor allem auf die höheren Stände bezogen haben.

Erst ab der Mitte des vorigen Jahrhunderts stehen uns präzise Daten über die Herkunft der Wiener zur Verfügung. Im Jahre 1856

sind von den 476.000 Einwohnern von Wien in Wien selbst	207.000
in der unmittelbaren Umgebung, Niederösterreich	69.000
im übrigen Gebiet der heutigen Republik	18.000
in Böhmen, Mähren und Schlesien	105.000
im sonstigen Ausland	68.000
	geboren.

Im Jahre 1910 – die Stadt hat inzwischen die Zwei-Millionen-Grenze erreicht – werden neben 990.000 geborenen Wienern rund eine halbe Million Menschen gezählt, deren Wiege in den Ländern der böhmischen Krone stand. Dagegen fallen Zuwanderungen aus Ungarn, Polen, Slowenien und anderen östlichen Provinzen kaum ins Gewicht. Der Zufluß aus dem (deutschen) Westen bleibt konstant, beträgt aber nicht viel mehr als ein Siebentel des slawischen. Wir sehen also: Hier fand eine Völkerwanderung statt, und es darf uns nicht wundern, daß ein nationaler Tscheche einmal in bittere Klagen darüber ausbrach, daß Wien der größte Friedhof seines Volkes sei; Wien habe im letzten Jahrhundert mehr Opfer gefordert als alle Kriege zusammen, die jemals über Böhmen hinweggebraust seien. Nun freilich – Opfer! Doch abgesehen davon, daß von jenen Zuwanderern aus den Sudeten- und Karpatenländern ein hoher Hundertsatz deutsch war –, die Opfer waren freiwillig gebracht. Die Faszination, die vom kaiserlichen Wien ausging, zog die Tausende und Hunderttausende magnetisch an. Niemand wollte sie dort ihrer Nationalität berauben. Doch das dichte kulturelle Gewebe, in das die Zuwanderer eingeschlungen wurden, übte seine sanfte hypnotische Wirkung aus. Binnen zweier Generationen war die eigene familiäre Herkunft zumeist zu schattenhaften Erinnerungen verdämmert: ob die Großeltern noch in Prag oder Czernowitz, Debreczin oder Triest – oder auch in Ischl oder Villach geboren waren, man war Wiener und war stolz darauf.

Nun, nach dem Zweiten Weltkrieg ist die Zuwanderung aus dem Osten abgeschnitten, schon nach dem Jahre 1918 war sie minimal geworden. Nur noch zweimal erfolgte ein stärkerer Zustrom; doch der erste, während des ungarischen Aufstandes, kam gar nicht dazu, sich in Ostösterreich auszubreiten. Von internationalen Organisationen aufgefangen, wurde er sogleich in alle Welt abgesogen. Der zweite anläßlich der tschechoslowakischen Katastrophe im Jahre 1968 war kaum noch spürbar.

Wien hat nun seit nahezu fünfzig Jahren Zeit, seine Herkunft aus vielen Völkern zu verdauen. Es ist keine wachsende, sondern an Kopfzahl eher schwindende Stadt. Es ist zur Erhaltung seiner biologischen Substanz mehr und mehr auf die Bundesländer angewiesen. Auch dadurch wird die Kluft zwischen ihnen und ihrer Hauptstadt allmählich überbrückt.

Die Last ihrer Geschichte als Heerlager der römischen Kaiser, als Zentrum einer supranationalen Staatskonstruktion, als Schmelztiegel so vieler Völker – diese Last ist von Wien genommen. Sein Klima ist dabei, sich zu stabilisieren und auszugleichen. Dem Gesetz seines Raumes wird es freilich nie entkommen. Immer werden Ost- und Westwind zugleich durch seine Straßen, über seinen Dächern wehen.

Aber Lebensluft ist immer bewegt.   Gertrud Fussenegger

East Wind –West Wind,
an essay on Vienna

Climate, metaphorical

Through the streets of Vienna the East Wind blows. It comes from the great plains beyond the March and Leitha rivers, from the wide open spaces of our Eurasian Continent stretching as far as the Ural Mountains and even further. The wind never stops sweeping the wandering dunes of distant peoples' destinies, singing the melancholic song of the steppe, the haunting melody of immeasurable distances and ever untouched virgin forests.
But above the palace roofs and domes and around the towers and steeples other winds blow – West Winds, South Winds, moist, invigorating, exciting Mediterranean and Atlantic currents breathing not only the clear air of the nearby Alps, but carrying messages from all the great cultural reservoirs of Europe. In Vienna there has always been both, East Wind and West Wind.

The setting

What is a city? Formed space, space within space. The more important the city, the wider the space to which it relates and which relates to it. Vienna is situated at the intersection of two great Continental axes.
One is the Danube, the only European river flowing eastward. Its source system is five times as large as that of the Rhine. Its upper course runs through the small but culturally intensely active central regions between the Alps and the German intermediate mountains. Entering the spacious basin formed by the Carpathian and Balkan ranges it passes through lowlands and rolling country separating the Alps from the Karst mountains, the Sudeten from the Yablunka ranges, and stretching from the Adriatic to the Oder River from the Istrian Penninsuly to the Baltic Sea. In Antiquity this north-south passage was called the Amber Road. It crosses the Danube near Vienna.
Today a visitor can get an overall view of the city easily and for very little money. He need only take the lift to the observation room of the WIG tower which rotates slowly and within a quarter of an hour presents the entire panorama of Vienna and its surroundings.
Let us first turn to the Northeast; here the Danube emerges between the Bisamberg and the twin peaks of the Leopoldsberg and Kahlenberg, a proud, swift river now entering the plain which slows down its progress, forcing it into numerous small arms, pools and marshy meadows. The so-called Old Danube, a crescent of still water, remained when a new bed was laid for the mighty river. On the steep, southwestern bank of the Danube Chanel lies the nucleus of the old town, the compact mass of the First Communal District dominated by the delicate steeple of St Stephan's Cathedral.
Expanding across the gently rolling landscape, the city now already touches the edge of the Vienna Woods, reaches as far as the vineyards of Gumpolds-

kirchen, Baden and Voeslau. Southward the horizon flattens and seems to dissolve over the vast plain where, 25 miles away, the Hungarian border runs, and at about twice that distance the borders of Moravia and Bohemia. In between lies the enormous Marchfeld, in summer chequered with green and golden fields, where some of the great battles in history have been fought: Duernkrut, Wagram, Aspern.

Only about half the area of Greater Vienna is solidly built up. From the beginning, the city developed in two main directions: toward the river and toward the hills. Along the river lay the boat harbours, the wharfs and dockyards, the dwellings of fishermen, raftmen and basket weavers, a fluctuating population, attracted by the various trades connected with water transport, who frequently lost their homes and workshops through floods. The Jews too were settled in this area, as were the stalls of the Prater amusement park.

The city's extension toward the hills evolved quite differently; here one touched farmland and vineyards. A string of charming villages had adorned the hillsides before the city reached out and incorporated them without, however, completely destroying their ancient centers. This is an architecturally crowded but culturally very fertile region. Traffic is posing a serious problem. Undoubtedly the city will in the future grow north- and eastward into the plain. The haphazard methods which prevailed until recently are gradually giving way to systematic planning on a large scale. Already a ring of modern suburbs is beginning to form and the bright prisms of modern skyscrapers indicate new civic centers.

Founding and early decline

Although excavations have proved that the region of Vienna was inhabited since about 3000 B.C., its history in the strict sense of the term begins only with the appearance of the Romans along the Danube. Vindobona – the name is of Celtic origin – was founded in the 1st century A.D. as a stronghold of the 10th Legion and, together with Carnuntum of which only ruins are left, it had to protect the gravely menaced province of Pannonia against enemy tribes. The camp was situated in the northwest corner of what is today the First District, between Graben, Naglergasse, Tiefer Graben, Rotgasse and Kraemergasse. The northwestern ramparts, facing the enemy, had no gate and followed the steep banks of the river and the marshes which later were drained into the Danube Chanel. We have to picture this earliest germ-cell of the town as a simple fort. South of it, in the region of the Rennweg, there was probably a more comfortable civilian settlement whose fate, however, was sealed when, with the decline of the Roman Empire in the 4th century, the Great Migration of peoples set in. Ostrogoths, Vandals, Lombards and Avars poured across the frontiers and, one after the other, swept through Pannonia. The inhabitants of Vindobona fled to the fort but this, too, was taken and burned to the ground, the inhabitants killed. Later a simple, fortified refuge was constructed on the remains and used as a last resort by subsequent generations whenever a new wave of invaders appeared. During four centuries the seemingly inexhaustible human reservoir in the East disgorged tribe upon tribe. With

Ehemalige Minoritenkirche auf dem Minoritenplatz. Der heutige gotische Bau wurde an der Stelle der ersten romanischen Minoritenkirche 1389 begonnen. Auffallend ist der typische an einen italienischen Campanile gemahnende Turm der Kirche des seinerzeitigen Bettelordens.

Former Church of the Friars Minor on the Minoritenplatz. This Gothic building was begun in 1389 on the site of a Romanesque church and is characterized by its tower which resembles an Italian campanile.

L'ancienne église des Minorites sur la Minoritenplatz. Ce sanctuaire gothique se trouve sur l'emplacement de la première église romane des frères mineurs et sa construction commença en 1389. La tour de cette église de l'ancien ordre mendiant est caractéristique et ressemble à un campanile italien.

Die Kaiserkrone des Heiligen Römischen Reiches in der Schatzkammer der Hofburg. Sie wurde vermutlich bereits 962 angefertigt und wurde bis 1602 zur Kaiserkrönung verwendet.

The Imperial Crown of the Holy Roman Empire, kept in the Imperial Treasury in the Court Palace. It was probably made in 962 and was used in the coronation ceremonies of Emperors. In 1602 Rudolf II had another crown made for the Hereditary Habsburg Lands.

La couronne impériale du Saint-Empire romain dans la Chambre au Trésor de la Hofburg. Elle remonte probablement à 962 et fut utilisée jusqu'en 1602 pour le couronnement de l'empereur. En 1602, Rodolphe II fit faire une seconde couronne pour la Maison de Habsbourg.

Hofburg. Der Innere Burghof mit dem Reichskanzleitrakt und dem Kaiser-Franz-Denkmal. Der Bau der Reichskanzlei wurde von dem Baumeister Lukas von Hildebrandt 1723 begonnen und nach dem Entwurf von Joseph Emanuel Fischer von Erlach 1726–30 erbaut. Das große Denkmal Kaiser Franz I. von Pompeo Marchesi wurde in den Jahren 1842–46 errichtet.

Court Palace. The Inner Palace Court with the Imperial Chancery and monument of Emperor Francis. Lukas von Hildebrandt began to build the Imperial Chancery in 1723, it was completed in 1726–1730 according to the plans of Joseph Emanuel Fischer von Erlach. The monument of Emperor Francis I is the work of Pompeo Marchesi and was created in 1842–46.

Hofburg. La cour intérieure et l'aile de la Chancellerie de l'Empire. La construction de la Chancellerie commença en 1723 sous la direction de l'architecte Lukas von Hildebrandt et achevée de 1726 à 1730 selon les plans de Joseph Emanuel Fischer von Erlach. Le grand monument de l'empereur François Ier est dû à Pompeo Marchesi et fut érigé de 1842 à 1846.

Portal des Bundeskanzleramtes auf dem Ballhausplatz. Die ehemalige „Geheime Hofkanzlei" wurde 1717–19 von Lukas von Hildebrandt erbaut. Von hier aus regierten Fürst Kaunitz und Fürst Metternich. Neben den Amtsräumen des Bundeskanzlers enthält das Gebäude auch das Hof- und Staatsarchiv mit den wichtigsten Dokumenten zur Geschichte Österreichs.

The portal of the Federal Chancery on the Ballhausplatz. The former "Private Court Chancery" was built in 1717–1719 by Lukas von Hildebrandt. Prince Kaunitz and Prince Metternich officiated here. Besides the office of the Federal Chancellor, the Building contains the Court and State Archives with the most important documents pertaining to Austrian history.

Portail de la Chancellerie fédérale sur la Ballhausplatz. L'ancienne «Chancellerie secrète de la Cour» fut érigée de 1717 à 1719 par Lukas von Hildebrandt. C'est ici que régnaient le prince de Kaunitz et le prince de Metternich. Ce bâtiment abrite les cabinets ministériels du chancelier fédéral et les Archives de la Cour et de l'Etat, avec d'importants documents sur l'Histoire de l'Autriche.

difficulty one manages to establish a few facts: That the Lombards ceded the country to the Avars, that the short-lived Slav kingdom of Samo had its capital in Vienna, that Christianity made its appearance and the first churches were built. Underneath the baroque church of St Peter traces of a basilica with a very large apse have been found. Finally, as latecomers in the Great Migration, the Magyars, a tribe of pagan horsemen appeared . . .

But in the meantime basic changes had taken place, although at first they proved to be merely an interlude: Charlemagne had created his Empire and initiated a counter-movement from the West. In 791 he founded the Avar March. Vienna became the residence of a Frankish Count and an outpost of a political complex extending to the shores of the Atlantic. However, within a generation the great blueprint is destroyed. Once again the Magyar horsemen appear and only just before 1000 A.D. the old Avar March is reconstructed and eventually, under the name Ostarrichi, incorporated into the Holy Roman Empire. From now on it has to protect and, if necessary, to close off not so much the Amber Road from North to South, as the Occident's eastern gate, the Danube passage. The exposed bastion soon draws further terrains into its orbit and forms a nucleus with a farreaching radiation. This development begins under the Babenberg dynasty and is completed under the Habsburgs.

But I am anticipating –

Gothic Vienna

How are we to imagine the medieval city? Having started out as tiny cluster of narrow-chested houses within the walls of the ancient refuge, it soon added streets and squares. The town's center of gravity shifted from St Peter's and St Rupert's to the newly founded church of St Stephan – not yet the turretted Gothic cathedral as we know it. The only remaining feature of this early building is the Heidentor, the Pagens' Gate whose clumsy austerity still seems meant to guard against demoniacal forces. In the meantime Henry Jasomirgott transferred his residence from Klosterneuburg to Vienna and Emperor Frederick II of Hohenstaufen gave the upcoming community the status of a free city subject only to the Emperor. However, his influence is already greatly reduced, the Empire badly shaken and threatening to disintegrate in the chaos accompanying the Interregnum.

But 40 years later, in 1276, Rudolf of Habsburg is elected German King and with him a dynasty enters the European scene, whose political wisdom kept it at the helm of the Empire for almost five centuries and whose position – one of the few constant factors in European history – was based the possession of Vienna and its surrounding areas. When the first Habsburg entered the residence of the extinct Babenbergs a new era began for the Occident, if not for the whole world. The old concept of the Empire as a spiritual power – a dream too good and too beautiful to become true – had been discarded. Rudolf had learned from the failures of his predecessors who migrated from Palatinate to Palatinate, without a fixed capital or residence, in order to exercise their administrative and juridical functions. He and his successor conducted a dynastic policy, which means that they tried to consolidate their family territory and governed from certain fixed points. One of these was Vienna whose rival, in the 14th century, became Prague, the seat of the Luxemburg dynasty. But Vienna, relating to a wider region, was able to maintain its precedence.

The autumn of the Middle Ages has begun, a new age with new constellations is dawning. Another Habsburg, Frederick III, bears the Imperial Crown. But he is plagued by misfortune; deeply in debt and under constant attack, he errs from place to place. And yet he dreams of world power and marks whatever he still owns with the initials AEIOU – Austria est imperare orbi universo – Austria is called to rule the world. One might be tempted to imagine him as an object for ridicule and scorn, condemned to failure. Yet it is he who laid the foundations of future imperial greatness. He succeeds in marrying his son Maximilian to the heiress of Burgundy and their son, Philip, weds the heiress of Spain, the Netherlands, Sicily and Naples – Spain, from where America was discovered ... and now the sun does not set over the Empire. Further marital alliances bring in Bohemia, Moravia and Hungary. In Charles V, its most outstanding son, the House of Austria reaches a zenith of human greatness and global power. It rules the world from two capitals, Madrid and Vienna. The Empire is, above all, Catholic, opposed to the Reformation, and supranational.

At this point Mediterranean influences make themselves felt in Vienna. The Spanish court ceremonial reigns in the Palace, Spanish advisors surround the Throne, Spanish, Italian and Walloon officers serve in the army on an equal footing with the old aristocraty. The Thirty Years' War alienates Germany from its Emperor, in spite of the fact that this very Emperor, as the ruler of his Austrian possessions and as a Christian sovereign has to defend Germany against a mortal danger: For some time the growing might of the Ottoman Empire had made itself increasingly felt, its armies advanced as far as Vienna and when the bulwark on the Danube had been razed, they penetrated into the very heart of Europe. Twice Vienna was beleaguered, twice it withstood. The Emperor's cousin, Prince Eugene of Savoy leads the counterattack and defeats the Turks at Belgrade. Thus the Carpathian region is won for the Occident.

And now Vienna prepares for the great festival of the Baroque. With incredible enthusiasm and vigor it sheds the old Gothic garment and dons a magnificent new gown. Ample palaces take the place of dark, narrow dwellings, ethereal domes burst through the vaults of ancient churches, the victorious Prince's Belvedere Palace raises its green copper roof above the city, the building of Schoenbrunn is begun, the fortified parts of the Court Palace are sacrificed in favor of a public garden. Next to it rises the marvel of the Court Library, a proof that the dynasty – following the trend of the time – is becoming more and more conscious of its obligations toward science and the humanities. The sombre Spanish ceremonial gives way to new, softer and lighter forms and the overpowering vitality of the Baroque begins to dissolve into the delicate Rococo. For a brief, happy moment in history absolutism, graciousness, power and humaneness are united in the person of Maria Theresia, but already under her son Joseph a tragic cleavage appears, the Empire's heartbeat is becoming weaker. The political and family ties with Spain have been loosened long ago, the sun does indeed sot over the realm of the House of Austria. The Austrian lands on the Rhine have been lost, Silesia has been ceded to Prussia and thus the German preponderance in the monarchy is threatened. The friendship with France, acquired through the marriage of young Marie-Antoinette, is turned into enmity by the French Revolution. Under Francis Joseph's second successor, the Holy Roman Empire is finally liquidated and in the Palace of Schoenbrunn Napoleon dictates one of history's most devastating peace treaties. Once more, after Waterloo, Vienna becomes a focal point of world history. The Congress meets, the Congress dances, but those who actually won the victory over the foreign tyrant, the peoples inflamed by love of freedom, were distrusted and reduced to mere extras in Metternich's private play of dynastic power.

The people of Vienna retired to their Biedermeier doll's houses – what else was there for them to do –, living quietly, comfortably, making chamber music and going on excursions. Romanticism discovered the human heart as a small cosmos subject to its own laws, Schubert's intoxicating chords invited a vertiginous fathoming of the soul's bottomless depths.

But already the first steam engine is put into action, looms are rattling in the first factories. The peasants clamour for liberation from feudal obligations, the students for the abolition of censorship, the workers for higher wages. In Hungary a revolution flares up. Viennese troops are to restore order, but there is a great deal of sympathy for the revolutionaries and, in order to prevent the troops from marching, the Emperor's Minister of War is hung from a lantern post.

Young Francis Joseph begins his long reign with a series of battles against his own subjects. Strangely enough, he was never able to distanciate himself entirely from this sad first phase. Was the victory over the insurgents a proof of his being a ruler by the Grace of God? He was a sober man, dutiful to the point of self-abnegation, hard working and unimaginatively attached to tradition. As the first soldier of his army he slept in a simple iron bed and as the first civil servant of his realm he waded perpetually through tons of papers on his desk. The documents, records, reports and petitions rarely contained anything gratifying, their sum total over the decades boiled down to this: the centripetal forces within the monarchy were gaining momentum, the Crown was losing its magic, the unity and interdependence of the Danube countries was no longer taken for granted.

In spite – or perhaps just because – of this, the capital of the disintegrating realm was being transformed during this period into a modern city of imperial character. The remaining fortifications around the First District were razed and replaced by one of the world's famous boulevards, the Ring. The outer ramparts, too, fell and the entire city resembled a construction pit. The Imperial parks were opened to the public which evidently also was meant to form part of the audience in the new, large Burgtheater and Opera House. The Art and Natural History Museums were supplied with precious exhibits from the Imperial collections; like two gigantic treasure chests they face each other across the Ring from, and on the same axis as the Court Palace. Several rural communities were incorporated and the area of New Vienna grew from just a few to 270 square kilometers, the number of inhabitants from 360.000 to almost 2 million.

This Vienna is now the capital of a state referred to by Bismarck as "a worm-eaten vessel", by Jérôme Bonaparte even as "a corpse", and the Emperor himself said in a talk with a foreign diplomat: "I know that in these times we represent an anomaly." An anomaly? Why? Because this state shows the traits of not just one, but of many peoples, contrary to national states like France, England and, since recently, Italy. This is why Austria is not understood and even maligned as a peoples' prison. And yet its capital is – and has been for some time – renowned as one of the gayest, most agreable, most charming cities of the world. From the earliest chroniclers onward it has been unanimously stated that it is a good place to be in. Whether we take Walther von der Vogelweide who refers to "pleasureable Wiene", or the Italian traveller Bonfini who, on 1480, praises the lovely landscape "adorned with fishponds, hunting grounds, houses and gardens, all requirements, all enjoyments of life", or Montesquieu who makes the piquant remark that in Vienna even women of 60 have lovers, even ugly ones are loved and "enfin, one dies in Vienna, but one never grows old" – they all express spontaneous affection.

This affection, continuously offered through the centuries, can only be understood as an answer, a reaction to the local atmosphere, the genius loci or whatever we want to call the undefinable. There must be something special to it: a humane element not to be found in most other big cities, an easygoing lightheartedness with a touch of melancholia, an outspokenness tempered by wit, an urge to communicate refined enough to fall back on itself, a mixtum compositum of contrasts, half- and quarter notes, a concert in which even the trumpets sometimes sound like violins and the violins like bagpipes.

This Vienna, then, was the city that exerted an almost magic attraction on the peoples of the old monarchy. They came in droves – looking for what? For work and bred, certainly, but for something else as well: a share in a world the considered superior to their own and which, in their imagination, assumed phantastic qualities. The further the province from which they came, the stranger their expectations.

Here I want to report – so to say in parenthesis – a true anecdote which seems to me typical for old Austria in general and for the relations between Vienna and the Balkan regions in particular:

A Gypsy primas in Transsylvania visits a German doctor. The doctor knows the man, the man has confidence in the doctor; he therefore musters the courage to ask a favor of him: Once, only once in his life he would like to go to Vienna to see the Emperor; could the doctor, please, find him a job there as violinist in a coffee house. The doctor promises to do his best and once nice day the matter is settled, the primas has a job and is off to Vienna. Three months later he is back and comes to express his gratitude. The doctor asks whether he has seen the Emperor. Yes, indeed, and a very fine gentleman he is. Still, something seems amiss, the doctor senses a disappointment and asks if there had been anything wrong with the Emperor's appearance. For a long while the Gypsy hesitates, then he breaks down and explains: "He only a man like you and me!" What had he expected, the doctor wants to know. The Gypsy sadly shakes his oily curls: "Should be more of Emperor – like double eagle."

Republican Vienna

For decades the end of the old monarchy had been predicted and yet it came suddenly, for many people unexpectedly. The break occurred from one day to the next, without an intermediary solution to soften the shock. Vienna fell upon bad times; the starving city took in remigrants from all the provinces. The dynasty was ousted, the people was free – but not free of the necessity to find itself. This, for the time being, seemed impossible.

Vienna had become the grey-clad widow of the Habsburgs, weighed down by a heritage whose obligations it had not the strength to meet. Scornfully referred to as a hydrocephalus, impoverished by inflation, shaken by one political crisis after another, Vienna was supposed to administer its imperial inheritance. What had been built up over the centuries by one of the great Continental powers was supposed to be maintained now by a small, destitute nation of 6 million. In this hour Vienna saw itself deserted even by the Austrian provinces. The Laender had enough to do taking care of themselves. They regarded the big city with ill humor and suspicion, its needs, its dimension, its social problems surpassed their own frames of reference. Thus it is not surprising that the German occupation of 1938 was greeted with approval by part of the population; at long last one again related to a large area, though not extending to the East, but to the North and West. Vienna hoped to play once more its imperial role and the disappointment was shattering when it found itself not only subjected to the centralism of Berlin, but even deprived of its influence over the Alpine provinces. From now on Vienna was to be just another Gau, a district among others, submitted to the technocracy of the Third Reich. Although the population was bereft of any possibility to express its will, the very grimness of the situation gave rise to a dynamic element which, however, eventually proved fatal. No sooner had the Danube passage been taken, than world history began to move with vertiginous speed. Czechoslovakia was surrounded and the – in relation to the German areas – excentric situation of Vienna led the cold politician Hitler to attack by way of a pincer movement. For six years – so went a bitter joke current at the time – all the border stones of Europe were motorized. Of course, the brutal stroke from the center was answered by a universal counterattack. It all ended with the loss of German-speaking areas in the East and a Germany divided. Only around Vienna the former borders remained. History's great game of dice had once more thrown the same constellation – Vienna, capital of the old small state. This recurrence of a concept that had been offered to them once before, convinced the people of Austria that its existence was meaningful and that the political framework within which it lives represents a true fatherland. Memories of former greatness are no longer oppressive the imperial aspects of the capital have lost their air of ghostly trappings. One no longer thinks of Vienna as the Habsburgs' widow. It has rejuvenated itself and has learned that liberty is compatible with wise self-restraint. Its neutrality is conducive to peace.

I am getting toward the end of my remarks. When I began, I could not hope to do more than sketch some incidentals. About a city like Vienna one could write a thousand volumes and in the end still be forced to admit that its manifoldness and complexity escape definition even by the most minutely detailed account.

In these pages much has been said about the area and the changing political structures, but very little about the people. The arts, too, have been somewhat neglected, even music, although Vienna's contribution in that respect equals or even surpasses that of all other European capitals taken together. Poets, painters, sculptors and architects were not named, nor were the great physicians, inventors and sociologists. A city of Vienna's range always resembles a chess board on which the human mind is playing, with innumerable figures, a game against itself. The game goes on forever and history merely records the moves of the main figures. The part played by the people remains untold although it often has a decisive influence on the constellations. In recent times statistics have attempted to analyze this in some way and although their findings can be interpreted in many ways, they still are competent to help us answer the question as to who the Viennese is.

To begin with, let us narrow the question down to this: where does the Viennese come from? A metropolis is never self-sustaining, almost always it requires immigrants in order to maintain or enlarge its biological stock.

Of the Roman and early medieval inhabitants hardly a trace can be found. It is already easier to judge the effect of the Frankish-Bavarian colonization under the Babenbergs. Later the Habsburgs brought with them Alemanic elements from their Swiss and Suabian homeland. From the Alpine provinces, too, a steady trickle must have reached Vienna. The era of Maximilian brought an influx from Latin countries and the Netherlands, and when France drove the Huguenots out, many of them found a new home here. All these infiltrations took place in what one might call a legal and well organized manner and were more or less limited to the upper social strata.

Precise data concerning the population structure are available only since the middle of the 19th century. In 1856 Vienna had 476.000 inhabitants of whom were born

in Vienna	207.000
in the immediate vicinity, Lower Austria	69.000
with the borders of the present Republic	18.000
in Bohemia, Moravia and Silesia	105.000
in other countries	68.000

In 1910 – at which date the two-million mark had been reached – 990.000 Viennese had been born in the city, while the cradles of half a million had stood in the lands of the Bohemian Crown. Immigrants from Hungary, Poland, Slovenia and other eastern provinces were negligible in comparison. The influx from the (German) West remains constant but does not amount to much more than one seventh of the Slav influx.

Thus one can speak of a genuine migration and it is not surprising that a nationalist Czech once complained bitterly that Vienna was the biggest cemetery of his people; in the last century it had claimed more victims than all the wars Bohemia had ever fought. Victims? Quite aside from the fact that a large percentage of those coming from the Sudeten and Carpathian regions were German, they all came of their own free will. The fascination of Imperial Vienna attracted them by the thousands and hundredthousands and nobody wanted to deprive them of their nationality. But the dense cultural web soon caught them in its meshes and within two generations family origins became hazy memories: whether one's grandparents had been born in Prague, Czernovitz, Debreczin or Trieste – or even in Villach or Ischl – one was Viennese and proud of it.

Having already dwindled after 1918, the immigration from the East was cut off entirely after the Second World War. Only twice since then did a substantial influx occur; the first came in the wake of the Hungarian Revolution in 1956, but, caught up and chanelled by international organizations, it was directed to other parts of the world and left very few traces. The second wave, caused by the Czech catastrophe of 1968, made itself even less felt.

For almost 50 years Vienna has had time to digest its foreign heritage. It is not a growing, but – in regard to the number of inhabitants – rather a shrinking city. More and more it is coming to depend upon the Federal Laender for the maintenance of its biological substance. This also helps to bridge the abyss between them and their capital.

The burden of historic memories – encampment of Roman Emperors, center of a supranational body politic, melting pot of nations – has been taken from the city's shoulders. Its climate is about to be stabilized. Still, it will never be able to escape entirely from the laws to which the area is subject. The streets and rooftops of Vienna will always be swept by East Winds and West Winds alike. The breath of life is always vigorous.

Gertrud Fussenegger

Vent d'Est et vent d'Ouest: un essai sur Vienne

Le climat métaphorique

Le vent d'Est souffle dans les rues de Vienne. Il vient des grandes plaines au-delà de la March et de la Leitha, des grands espaces et du creuset des peuples de notre continent eurasiatique, qui s'étend jusqu'à l'Oural et plus loin encore. Venant des lointains espaces, ce vent souffle sans cesse; il accumule devant lui les dunes que forme la destinée de peuples lointains. Son chant résonne comme un mélancolique air des steppes, l'émotionnant pathétique d'immenses étendues, le chant à la fois mélodieux et dramatique des forêts encore vierges. Mais un autre courant caresse également les toits des palais, effleure les coupoles et passe entre les bulbes vert-de-grisés des églises. C'est le vent d'Ouest, le vent du Sud, humide et vivifiant, venant des Cieux, plein d'événements. C'est un courant à la fois méditerranéen et atlantique, emportant avec lui la majesté des Alpes et aussi l'auréole et l'éclat que revêtent les sites culturels de l'Europe centrale. A Vienne, le vent d'Est et le vent d'Ouest ont toujours soufflé en même temps.

La situation

Qu'est-ce qu'une ville? C'est un espace structuré; un espace dans un autre espace. Vienne se trouve au croisement de deux grands axes continentaux. Voice le Danube. Le seul fleuve de votre continent qui coule d'Ouest en Est. Les régions qu'il dessert sont cinq fois plus grandes que celles du Rhin. Le cours supérieur du Danube traverse de petites régions, mais à culture intensive, entre les Alpes et les montagnes d'altitude moyenne en Allemagne, le prolongement de l'arête d'Hercynie. A l'endroit où le Danube pénètre dans la vaste région comprise entre les Carpates et la chaîne des Balkans, il traverse la région de collines et de plaines qui sépare les Alpes du Karst – entre la Carniole et l'Istrie – et les monts Sudètes de la chaîne de Jablunka. Cette région s'étend de l'Adriatique à l'Oder et de l'Istrie à la Baltique. Dans l'Antiquité, ce passage Nord-Sud était appelé la route de l'Ambre. Elle traverse le Danube dans la région de Vienne. La situation locale de Vienne se dessine comme un modèle du genre dans le vaste espace où elle se trouve.

De nos jours, chaque visiteur de Vienne peut, facilement et à peu de frais, se procurer une vue d'ensemble du site urbain: il suffit de prendre l'ascenseur menant au sommet de la tour du WIG et de s'asseoir à une fenêtre panoramique de la coupole de verre. En un quart d'heure, cette coupole rotative vous fera voir tout le panorama.

Commençons au Nord-Ouest: le Danube sort de la trouée entre le Bisamberg et le Leopoldsberg; c'est un fleuve majestueux, avec une forte déclivité. Maintenant, il s'élance dans la plaine où il prend ses aises et s'élargit. Jadis, de nombreux bras du fleuve y formaient des cours d'eau et des étangs. Il en reste encore quelques-uns, avec de nombreuses petites baies et beaucoup de verdure, comme l'ancien Danube, en forme de faucille et sans liaison directe ni visible avec le fleuve. Le canal du Danube est également un ancien vestige du fleuve.

Das Stiegenhaus im Naturhistorischen Museum. Das prunkvoll ausgestattete Gebäude wurde 1871–81 von Gottfried Semper erbaut, die Innenarchitekturen stammen von Karl von Hasenauer. Außer riesigen Museumssammlungen beeindrucken die Malereien von Makart, Klimt und anderen zeitgenössischen Malern als Innenschmuck des Gebäudes.

Museum of Natural History, staircase. This splendid building was created by Gottfried Semper in the years 1871 to 1881. The interior decorations are the work of Karl von Hasenauer, the paintings are by Makart, Klimt and other contemporary artists.

Les escaliers du Musée d'Histoire Naturelle. Le Musée fut érigé de 1871 à 1881 par Gottfried Semper, l'architecture intérieure est due à Karl von Hasenauer. Ce Musée abrite de grandes collections et l'on peut y voir d'impressionnantes peintures de Makart, Klimt et d'autres peintres contemporains.

Sockelgestaltung des Maria-Theresien-Denkmals am Burgring. Es wurde 1887 von Kaspar Zumbusch erbaut. Der Sockel des großen Denkmals wurde mit den Reiterstandbildern der Feldherrn ihrer vierzigjährigen Regierungszeit von 1740–80, Daun, Laudon, Traun und Khevenhüller, geschmückt. Dazwischen die Statuen ihrer Staatsmänner Kaunitz, Haugwitz, Liechtenstein und Van Swieten.

Pedestal of the Maria Theresia monument on the Burgring. Kaspar Zumbusch created the monument in 1887. Equestrian statues of the great generals who became famous during the four decades of Maria Theresia's reign (1740 to 1780) – Daun, Laudon, Traun and Khevenhüller – surround the pedestal. Between them we see the statues of her great statesmen – Haugwitz, Liechtenstein and Van Swieten.

Socle du monument de Marie-Thérèse sur le Burgring. Ce monument fut érigé en 1887 par Kaspar Zumbusch. Le socle est formé par les statues équestres des chefs d'armée durant les 40 ans que dura le règne de Marie-Thérèse, de 1740 à 1780: Daun, Laudon, Traun et Khevenhüller. On remarque également les statues des hommes d'Etat de l'impératrice: Kaunitz, Haugwitz, Liechtenstein et Van Swieten.

Sur sa rive Sud-Ouest, à la première terrasse, se trouve le noyau de l'ancienne cité de Vienne, le premier arrondissement d'où s'élance la flèche de la cathédrale Saint-Etienne.

Derrière on aperçoit des collines en pente douce, couvertes de maisons et montant jusqu'à la lisière de la Forêt de Vienne. La ville escalade ces pentes, suit les vallées et s'éparpille jusque dans la région fertile et bénie de Gumpoldskirchen, Baden et Voeslau. Au Sud s'étend un horizon sans fin, entrecoupé de petites collines et se terminant dans une immense plaine. C'est là, a quarante kilomètres de Vienne, que se trouve la frontière hongroise; la frontière de la Moravie – Tchécoslovaquie – se trouve à environ quatre-vingts kilomètres. Entre ces deux frontières s'étend une immense région, avec des agglomérations disséminées de-ci de-là et des campagnes verdoyantes où mûrissent les blés. C'est le Marchfeld: un grand champ de manœuvres de l'Histoire où se déroulèrent les batailles de Duernkrut, Wagram et Aspern. Les terres de peuplement ne couvrent environ que la moitié de la superficie de Vienne.

Dès le début, la croissance de la ville se fit dans deux directions: le long du fleuve et sur les pentes des collines. Le long du fleuve, car ici se trouvaient le port de la navigation fluviale, les chantiers maritimes, les agglomérations de pêcheurs, les auberges de bateliers, les ateliers de vannerie et tout ce qui concernait les transports fluviaux. Ceci attirait également les éléments les plus divers qui devaient s'accommoder des nombreuses inondations qui détruisaient leurs cabanes et leurs ateliers. C'est ici également que durent se fixer les juifs et que fut construite une ville de cabanes. De nos jours encore l'appellation de «Bretteldorf», ou village de cabanes, porte en soi le caractère douteux de certains faubourgs. Le peuplement sur les pentes des collines se fit sous d'autres conditions, car ici se trouvaient des campagnes et des vignobles. Une couronne de pittoresques villages entourait la ville avant d'y être annexée. Il faut dire que ces anciens villages n'ont pas complètement perdu leur caractère particulier. L'espace y est restreint, la culture intensive, les constructions sont serrées les unes contre les autres et les problèmes de la circulation sont difficiles à résoudre. Il est certain que désormais la ville se développera en direction du Nord et de l'Est, dans la plaine. L'approximatif et l'arbitraire qui prévalaient jusqu'à présent sont petit à petit remplacés par un large planning. Déjà de modernes agglomérations suburbaines se dessinent: les prismes clairs d'immeubles à étages multiples forment de nombreux centres.

La fondation et le déclin précoce

L'Histoire de Vienne commence vers le début de notre ère. On a découvert des objets de l'époque néolithique prouvant que la région de Vienne était déjà peuplée 3000 ans avant Jésus-Christ. Mais l'époque historique de la ville commence avec l'apparition des Romains sur les bords du Danube. La fondation de Vienne – Vindobona (un nom d'origine celtique) – remonte au Ier siècle, quand la Xème Légion installa ici un camp militaire permanent. Comme Carnuntum dont il ne reste plus que des vestiges, ce camp avait à défendre la province de Pannonie contre les invasions des Jazygues et des Quades, deux peuples pillards et nomades. Le camp se trouvait dans le coin Nord-Ouest de l'actuel premier arrondissement, entre le Graben, la Naglergasse, le Tiefen Graben et les Rot- et Kraemergasse. Tournée vers l'ennemi, la ligne de fortification Nord-Ouest n-avait aucune porte; elle suivait la rive escarpée d'un bras du Danube et les marais qui forment actuellement le canal du Danube. Cette première cellule germinative de la ville était une fortification à stricte architecture militaire. Au Sud du camp – sur l'emplacement du Rennweg – se trouvait une cité civile probablement plus belle, mais dont les sort fut vite réglé lors des migrations des peuples et du déclin de l'empire romain au 4ème siècle. Ostrogoths, Vandales, Lombards et Avars se déversèrent en vagues successives sur la Pannonie. La population essayait de se sauver dans une mansion fortifiée, mais il est certain que celle-ci fut prise, saccagée et incendiée. Toujours est-il qu'une partie du camp existait encore et qu'il servait de précaire refuge aux générations suivantes qui s'efforçaient de subsister. Les invasions balayèrent le pays durant quatre siècles; comme une tempête sans fin, les peuples venant des confins de l'Est se déversèrent partout. Et c'est non sans difficulté que l'on a pu recueillir quelques dates et que l'on sait que les Lombards abandonnèrent le pays aux Avars, que la résidence royale de l'empire slave de Samo se trouvait à Vienne, que le christianisme y avait pris pied et que la première église avait une grande abside et se trouvait sur l'emplacement de l'église Saint-Pierre, une église en style Baroque. Finalement apparaissent les Magyars, un peuple de cavaliers païens – les traînards des grandes migrations . . .

Entre-temps, un court intermède préliminaire – Charlemagne crée son empire d'Occident et fonde une Marche orientale. Vienne est la résidence d'un comte Franc et la porte fortifiée à la frontière d'un Etat qui s'étend jusqu'à l'Atlantique. Mais ce grand projet échoue après une génération. Une fois de plus, les cavaliers Magyars envahissent le pays . . . Ce n'est que peu avant l'an 1000 que la Marche orientale est rétablie et incorporée sous le nom d'Ostarrichi au Saint-Empire romain germanique. Cette Marche orientale a ensuite pour mission non pas tellement de garder l'ancienne route de l'Ambre, dans l'axe Nord-Sud, mais surtout de barrer la porte Est de l'Occident ouverte par le Danube. D'autres terres avancées vinrent bientôt accroître ce bastion qui rayonna sur toute la région. Déjà visible sous les Babenberg, cette évolution s'accentue davantage encore sous les Habsbourg.

La Vienne gothique

Comment faut-il se représenter une ville du moyen âge? C'est tout d'abord un petit tas de maisons étroites dans l'enceinte d'un ancien bastion fortifié. Mais bientôt on trace de nouvelles rues, de nouvelles places publiques. Le centre de gravité architectural passe des églises Saint-Pierre et Saint-Rupert à la nouvelle église Saint-Etienne – mais ce n'est pas encore l'église gothique à plusieurs nefs que nous connaissons, ce n'est encore la grande cathédrale à la tour élancée. Mais le premier aspect de Saint-Etienne est encore conservé dans la Heidentor, ce porche monumental d'une architecture stricte, presque démoniaque. Entre-temps, Henri Jasomirgott, de la lignée des Babenberg, transfère sa résidence de Klosterneuburg à Vienne. Frédéric II, de Hohenstaufen, élève cette communauté en plein essor au rang de ville de l'empire; ce qui ne signifie pas grand chose, car l'interrègne a plongé l'Allemagne dans une situation chaotique. Mais quarante ans plus tard, en 1276, Rodolphe de Habsbourg s'établit à Vienne. Empreinte d'un sens profond des réalités politiques, cette lignée de princes allemands devait régner durant près de cinq siècles sur un grand empire dont la position fut une des constantes essentielles dans l'Histoire de l'Europe et dont le centre était Vienne et les régions structurées autour de la ville. Une ère nouvelle commence avec l'installation du premier Habsbourg au château de Vienne, l'ancienne résidence de la lignée des Babenberg. L'ancienne idée impériale de l'ordre spirituel, un rêve trop beau et trop grand pour être réalisable, fut abolie. Rodolphe avait beaucoup appris de l'échec de ses prédécesseurs qui, sans s'appuyer sur une ville ou une place forte, s'en allaient de palatinat en palatinat, essayant de faire régner l'ordre et la justice. Rodolphe et son successeur pratiquèrent une politique dynastique; c'est-à-dire qu'ils s'efforçaient de réunir à leurs territoires des Pays entiers et de les gouverner d'un point fixe, d'une capitale. Et Vienne était un de ces points fixes. Au 14ème siècle, Prague où régnait la maison de Luxembourg lui fit concurrence. Mais la ville riveraine du Danube ne pouvait être éclipsée, l'étendue de son rayonnement était trop important.

La Vienne impériale

L'automne du moyen âge est arrivé; nous sommes à l'aurore d'une époque nouvelle, avec de nouvelles constellations. Un Habsbourg règne encore, Frédéric III. Mais il se trouve en mauvaise posture: en rivalité, avec sa famille, menant des guerres sans fin, criblé de dettes et pourchassé, il erre dans tout le pays. Malgré tout, il a des plans d'hégémonie mondiale. Sur les quelques biens qu'il possède encore il fait apposer les initiales. A. E. I. O. U. – «Austria est imperare orbi universo» (Il appartient à l'Autriche de régner sur l'univers). On pourrait croire qu'il s'agit ici d'un plaisantin, d'un personnage dont tout le monde se moque. Mais c'est précisément lui qui pose la pierre angulaire de la croissance impériale. Son fils Maximilien épouse l'héritière de Bourgogne et leur fils Philippe se marie avec l'héritière d'Espagne, des Pays-Bas, de Sicile et de Naples. Et c'est par l'Espagne que l'on découvre l'Amérique ... Ainsi naquit un empire où le soleil ne se couchait jamais. D'autres mariages consacrèrent les droits héréditaires sur la Bohême, la Moravie et la Hongrie. Avec Charles-Quint, son fils le plus important, la maison d'Autriche fut à son apogée et parvint à réaliser le summum de puissance universelle. Le gouvernement dynastique a pour siège deux capitales, Madrid et Vienne. Cet empire est avant tout catholique, contre la Réforme et supranational. Des éléments méditerranéens font leur apparition à Vienne: le cérémonial de la Cour d'Espagne fait son entrée au Burg, des conseillers espagnols entourent le trône, l'aristocratie militaire espagnole, italienne et wallonne a les mêmes droits que l'ancienne aristocratie autochtone. Mais la Guerre de Trente ans éloigne l'empereur de l'Allemagne, le rend étranger à son peuple; néanmoins, cet empereur chrétien devait en même temps préserver l'Allemagne d'un danger mortel, car l'empire turc envoyait ses armées à l'assaut de Vienne, pour démanteler ce bastion et pénétrer au coeur de l'Europe en suivant le Danube. Vienne fut assiégée à deux reprises et put résister. Un proche de l'empereur, le prince Eugène de Savoie, mène la contre-offensive et établit une tête de pont près de Belgrade. C'est ainsi que la région des Carpates fut gagnée à l'Occident.
Vienne se prépare à fêter le grand événement du Baroque. Avec une emphase sans précédent, la ville se débarrasse de ses simples pourpoints gothiques et revêt des habits d'apparat. De sompteux palais sont bâtis sur l'emplacement des étroites maisons du moyen âge. Des coupoles pleines de lumière éclairent les nefs des

anciennes églises. Le Belvédère, château du prince Eugène de Savoie, le vainqueur des guerres contre les Turcs, dresse ses toits vert-de-grisés. Schoenbrunn est en projet et la construction en est commencée. On trouve anachronique le caractère défensif de la Hofburg que l'on remanie. A côté se dresse bientôt la miraculeuse construction de la Bibliothèque de la Cour – signe que la maison régnante contribue de plus en plus à encourager les sciences.

Le sévère cérémonial espagnol fait place à des teintes plus claires et la vitalité du Baroque s'estompe dans les délicates fioritures du Rococo. Durant quelques heureux moments, l'absolutisme éclairé, qui veut réunir la grâce, la puissance et l'humanité, semble parvenir à ses fins sous le règne de Marie-Thérèse. Cette tendance devait tragiquement se diluer sous son fils Joseph II. Le cours de la vie n'est plus aussi vigoureux, il est plus lent. Depuis longtemps, les liens politiques et familiaux avex l'Espagne sont relâchés. Le soleil se cours de nouveau sur les possessions des Habsbourg. Les pays autrichiens au-delà du Rhin sont perdus, la Silésie est passée à la Prusse et la prépondérance allemande au sein de la monarchie est sérieusement ébranlée. Achetée au prix de la jeune princesse Marie-Antoinette, l'alliance avec la France se transforme en une sanglante rivalité durant la Révolution française. Le Saint-Empire romain est liquidé sous l'empereur François, le second successeur de Joseph II et Napoléon dicte ses dures conditions de paix à Schoenbrunn.

Encore une fois – après Waterloo – Vienne est le centre de l'Histoire mondiale. Le congrès se réunit, le congrès danse. Mais le véritable vainqueur de la domination étrangère bonapartiste, le peuple assoiffé de liberté est écarté par Metternich de la scène où se déroule cette représentation du pouvoir dynastique et ravalé au rang de simple figurant.

Par la force des choses, le peuple de Vienne se confine dans le style poupée du Biedermeier; on vit paisiblement, tranquillement, on fait des promenades à la campagne, on fait de la musique de chambre. Le romantisme découvre le coeur humain et en fait un petit monde bien à part et ayant ses propres lois; les accords mélodieux de Schubert invitent à jouir des inépuisables propriétés de l'âme.

Mais la première machine à vapeur fait son apparition et déjà les métiers à tisser cliquettent dans les usines. Les paysans réclament la suppression des servitudes, les étudiants la suppression de la censure et les ouvriers veulent de meilleurs salaires. La révolution éclate en Hongrie. Des troupes viennoises devraient la mater, mais on sympathise avec les insurgés et, pour empêcher le départ des soldats, on pend le ministre de la Guerre à une lanterne.

C'est par une série de batailles contre ses propres sujets que l'empereur François-Joseph ouvre la longue période de son règne. Il est curieux de constater que l'empereur n'est jamais parvenu à se débarrasser des tristes impressions de la première phase de son règne. Sa royauté de droit divin fut-elle confirmée par ses succés contre les insurgés? C'était un homme calme et avec beaucoup de bon sens, ayant conscience du devoir à accomplir et plein de dévouement et de zèle, tout de piété, mais d'une manière sèche. Premier soldat de son armée, il dormait sur un lit de camp en fer et des tas de dossiers s'amoncelaient sur sa table de travail. Ces dossiers, rapports et pétitions contenaient rarement des choses agréables à lire. En tout et pour tout, de longs textes relataient une seule chose que, de décennie en décennie, les forces centripètes gagnaient en importance, que la couronne n'avait plus une attirance magique et que de moins en moins on acceptait l'unité des pays danubiens.

Malgré tout – et peut être pour cette raison – c'est sous le règne de François-Joseph que Vienne, la capitale d'un empire s'ébrèchant de plus en plus, fut modernisée, embellie et reçut son aspect nettement impérial. Les anciennes fortifications qui entouraient encore toujours le premier arrondissement furent démantelées et firent place au Ring, un des plus beaux boulevards du monde. De même que l'on supprima les fortifications extérieures du Guertel. La ville entière ressemblait à un immense chantier. Les parcs impériaux ouvrirent leurs portes et furent mis à la disposition de la population; tout comme le Burgtheater et l'Opéra dont les dimensions laissent présumer qu'ils furent conçus pour le peuple. Les collections d'art et d'histoire naturelle de la dynastie furent confiées au Musée d'Histoire de l'Art et au Musée d'Histoire Naturelle: deux gigantesque monuments de pierre construit dans l'axe du Burg. C'est par séries que les communes autour de Vienne furent annexées à la ville, qui passe de quelques kilomètres carrés à 270 et dont le nombre des habitants passe de 360.000 à plus de deux millions.

Voilà donc Vienne, la capitale d'un Etat dont Bismarck prétend qu'il ressemble à un vieux vaisseau vermoulu et que Jérôme Bonaparte appelle un cadavre. Dans un entretien avec un diplomate étranger, l'empereur lui-même dit qu'à notre époque cet Etat constitue une anomalie. Une anomalie? Et pourquoi? Parce que cet Etat a la physionomie de plusieurs peuples et non pas un seul aspect comme les autres Etats. Les Etats nationaux comme la France, l'Angleterre et depuis peu l'Italie. C'est pourquoi personne ne comprend l'Autriche et qu'elle est décriée partout comme geôle des peuples. Et malgré tout, sa capitale compte parmi les plus gaies, les plus agréables et les plus charmantes villes du monde. Et ceci depuis longtemps déjà. Depuis qu'il existe des témoignages écrits sur Vienne, le cœur des écrivains bat à l'unisson: il fait bon y vivre. Qu'il s'agisse de Walther de la Vogelweide qui parle de «la merveilleuse Cour de Vienne», du voyageur Bonfini qui en 1480 chante les louanges d'une région charmante – «parée d'étangs poissonneux, de terres de chasse, de maisons et de jardins et offrant toutes les jouissances de la vie» ou de Montesquieu qui fait l'émoustillante remarque que même les femmes de soixante ans ont à Vienne un amant, que même les femmes laides y sont aimées et «qu'enfin on meurt à Vienne mais que l'on ne vieillit point», toujours le ton est aimable et la sympathie convaincante.

Cette sympathie générale témoignée durant des siècles est une réponse, une réponse à la brise embaumée et vivifiante qui flotte sur la ville, une réponse au bon génie local, comme on voudra.

Il faut croire que cette ville a quelque chose de particulier: un élément de gentillesse humaine que l'on rencontre rarement dans d'autres grandes villes, avec une trace de légèreté phéacienne, une prise de mélancolie, une pointe de liberté qui ne se gêne point, mais qui n'est pas sans façons, une sorte d'esprit communicatif plein de finesse et de discrétion. C'est une mixture composite remplie de contradictions, avec des demis et des quarts de ton – un concert où la trompette prend des accents de violon et le violon de accents de cornemuse. C'est ainsi que se présentait Vienne durant la dernière époque impériale, au moment où la ville exerçait une attirance magique sur les peuples de l'ancienne monarchie danubienne. C'est en foule qu'ils affluaient dans la capitale. Que venaient-ils chercher ici? Du travail et du pain, bien sûr. Mais ils cherchaient encore autre chose: la participation à un monde qu'ils pensaient supérieur au monde d'où ils venaient et dont ils se faisaient parfois les idées les plus fantastiques. Et plus la province d'où ils venaient était éloignée, plus les idées étaient pharamineuses.

A ce sujet, et entre parenthèses, je voudrais raconter ici l'anecdote véridique qui semble caractéristique pour l'ancienne Autriche en général et pour les relations entre l'Autriche balkanique et Vienne en particulier. Le premier violon d'un orchestre tzigane vient consulter un médecin allemand de Siebenbuergen. Le médecin connaît son visiteur et celui-ci accorde toute sa confiance au médecin. Le visiteur présente sa requête: une fois dans sa vie il voudrait se redre à Vienne pour y voir l'empereur. Il prie le médecin de bien vouloir lui procurer une place de premier violon dans un café-concert de la ville. Ce vœux se réaliste et notre homme se rend à Vienne. Il en revient trois mois plus tard et va trouver son médecin. Celui-ci le questionne et apprend que son protégé est enthousiasmé par Vienne – une belle et grande ville dit-il – et aussi qu'il a vu l'empereur. Mais il ne peut cacher sa désillusion et dit finalement au docteur que «l'empereur est un homme comme vous et moi». Le médecin lui demande ce qu'il s'était imaginé et l'homme lui répond «un empereur comme les aigles bicéphales».

La Vienne républicaine

La fin de l'ancienne monarchie avait été prévue d'avance depuis de nombreuses décennies, mais pour beaucoup elle vint inopinément. La chute se fit d'un jour à l'autre, sans période transitoire ménageant les esprits. Une période difficile commençait pour Vienne; la ville affamée devait accueillir une foule de rapatriés venant de toutes les provinces de l'ancien empire. La dynastie était chassée, le peuple était libre, mais il se voyait confronté avec la nécessité de trouver sa voie, de se forger une personnalité. Pour le moment, cela semblait impossible.

Vienne, «la veuve grise des Habsbourg», restait pour compte. La ville devait administrer un héritage dont les données dépassaient ses forces. Qualifiée «hydrocéphale» par le reste de l'Autriche, vidée par l'inflation, secouée par des crises politiques, la ville devait prendre possession d'un héritage impérial. Tout ce qui avait été érigé et construit durant les siècles d'une époque florissante par une grande puissance continentale devait être recueilli et entretenu par un petit pays de six millions d'habitants en proie à la misère.

Et c'est à ce moment que la province autrichienne abandonna sa capitale. Il est vrai que les Laender autrichiens avaient bien d'autres soucis et devaient d'abord s'occuper de leurs propres problèmes. Ils considéraient avec méfiance cette grande ville dont les besoins, les dimensions et les problèmes sociaux les dépassaient. L'inévitable devait arriver et c'est ainsi que l'occupation allemande de 1938 fut bien accueillie par une partie de la population: on était de nouveau rattaché à un grand pays, non pas à l'Est, mais au Nord et à l'Ouest. Vienne espérait vivre le renouveau de son rôle impérial. La désillusion n'en fuit que plus grande, quand on s'aperçut que le centralisme berlinois soumettait tout à sa volonté et que l'on avait même perdu toute influence sur les provinces alpines.

Vienne devait se soumettre et n'était plus qu'un Gau parmi les autres dans la technocratie du Troisième Reich.

La ville était dépourvue de toute possibilité de faire valoir sa volonté et de vivre à sa guise, mais le poids matériel de sa situation – qui lui fut fatal – constituait un élément dynamique. On le vit peu après la prise de la porte danubienne, quand l'Histoire mondiale se mit en marche. D'un seul coup, la Tchécoslovaquie était prise dans une tenaille et la position excentrique de Vienne – par rapport aux territoires de peuplement allemand – incita Hitler à donner immédiatement l'assaut. Durant six ans, il semblait que toutes les bornes-frontières de l'Europe étaient motorisées, on faisait des plaisanteries à ce sujet. A l'attaque brutale venant du centre répondit la contre-offensive universelle. Cela se termina par la perte catastrophique des territoires de peuplement allemand situés à l'Est et par le partage de l'Allemagne. Devant et autour de Vienne, les frontières d'avant-guerre furent rétablies. Pour la deuxième fois le grand jeu de dés de l'Histoire avait donné le même résultat, la même constellation: Vienne restait la capitale d'un petit pays demeuré intact.

La répétition d'un état de choses qui existait déjà auparavant a convaincu le peuple autrichien que cet état de choses est plein de bon sens et que le pays où il vit constitue une véritable patrie. Les souvenirs de la grandeur d'autrefois ne lui pèsent plus. Les éléments d'architecture impériale de la capitale ont perdu cet aspect de coulisse fantomatique qu'ils prenaient naguère. Et plus personne n'appelle Vienne « la veuve grise des Habsbourg ». Vienne s'est rajeunie. Elle a appris que la liberté et la sagesse de s'imposer des restrictions sont conciliables; sa neutralité contribue à la paix.

Ou'est-ce qu'un Viennois?

J'approche de la fin de mon exposé. Quand je l'ai commencé, je ne pouvais espérer plus que de dire l'accessoire, le succinct. On pourrait écrire mille volumes sur une ville comme Vienne, pour s'apercevoir ensuite que la diversité et la complexité de cette ville défient les descriptions les plus détaillées.

Dans ces pages, il a surtout été question de la région de Vienne et des structures politiques changeantes, mais fort peu a été dit sur les hommes. Les arts furent également plus ou moins délaissés, sans parler de la musique, alors que l'apport musical de Vienne dépasse largement celui de toutes les autres grandes capitales européennes. De même que nous n'avons rien dit sur les écrivains, les peintres, les sculpteurs et les architectes; et nous n'avons pas parlé des grands médecins, des inventeurs et des sociologues. Une grande ville comme Vienne ressemble toujours à un échiquier géant où l'esprit des hommes est représenté par les pièces engagées dans un jeu interminable. Et l'Histoire ne tient compte que des pièces principales. Le rôle du fantassin semble négligeable, mais c'est souvent lui qui décide des constellations. La statistique essaie de nouveau de définir son rôle d'une manière ou de l'autre. Malgré l'ambiguïté des résultats, nous réponsons la question: qu'est-ce qu'un Viennois? elle peut être du domaine de la statistique.

Mais réduisons encore la question: d'où vient le Viennois? Quels sont les éléments ethniques qui composent le peuple de Vienne? Car toutes les grandes villes doivent se régénérer et l'immigration est toujours nécessaire pour conserver la consistance biologique ou même pour l'agrandir.

Il reste certainement peu de traces de l'ancienne population romaine ou de celle du début du moyen âge. La colonisation franque et bajuvare sous les Babenberg laisse déjà des traces plus visibles. Venant de Suisse et de Souabe, les contingents allemaniques suivent les Habsbourg. Une constante immigration vient également des pays alpins. A partir de l'époque maximilienne, on constate un courant venant des provinces romanes de l'empire et des Pays-Bas. La France chasse ses Huguenots, un bon nombre d'entre eux trouvent ici une nouvelle patrie. Toutes ces infiltrations se font pour ainsi dire légalement et sont contrôlées; elles concernaient avant tout les hautes classes et la noblesse.

Ce n'est qu'à partir du milieu du 19ème siècle que nous avons des données précises sur l'origine des Viennois.

En 1856, Vienne compte 476.000 habitants dont 207.000 sont nés à Vienne, 69.000 dans les environs de la ville, en Basse-Autriche, 18.000 sont nés en Autriche, 105.000 en Bohême, Moravie et Silésie, 68.000 ailleurs à l'étranger.

En 1910 – la ville compte désormais deux millions d'habitants – outre 990.000 Viennois nés sur place, on enregistre un demi million de personnes nées en Tchécoslovaquie. Par contre, l'immigration venant de Pologne, de Hongrie, de Slovénie et des autres provinces orientales est minime. L'immigration venant de l'Ouest (donc allemande) reste constante, mais ne dépasse guère un septième de l'immigration slave. Nous voyons donc qu'il s'agit ici d'une véritable migration. Et un nationaliste tchèque s'est un jour plaint amèrement en prétendant que Vienne était le plus grand cimetière de son peuple et avait fait plus de victimes que toutes les guerres que connut la Bohême. Mais il faut dire que ce sacrifice était librement consenti et qu'un grand pourcentage des immigrants venant des Sudètes et des Carpates était d'origine allemande. La Vienne impériale exerçait une fascination magnétique sur des centaines de milliers d'immigrants, mais personne ne voulait leur prendre leur nationalité. Ils étaient pris dans les mailles étroites d'un filet culturel qui exerçait sur eux un attrait hypnotique. Le souvenir des origines familiales s'estompait en deux générations. Même si les grands-parents vivaient encore à Prague ou à Czernowitz, à Debreczin ou à Trieste – ou bien à Ischl ou à Villach, on était Viennois et on était fier de l'être.

L'immigration venant des pays de l'Est fut interrompue après la deuxième Guerre mondiale, et même après 1918 elle était fortement réduite. Une assez forte vague d'immigrants vint en Autriche lors du soulèvement hongrois des 1956. Absorbée par les organisations internationales qui la dirigèrent vers l'étranger, elle ne put s'étaler à l'Est de l'Autriche. La deuxième vague lors de la catastrophe tchèque de 1968 ne se fit guère sentir.

Depuis près de cinquante ans, Vienne a eu le temps de digérer les origines des nombreux peuples dont elle est formée. Ce n'est pas une ville dont la population augmente, au contraire, elle diminue. Elle en est donc réduite à renouveler sa substance en puisant dans les ressources biologiques des provinces autrichiennes. Ce qui permet petit à petit de combler la faille entre les provinces et leur capitale. Vienne – camp militaire des empereurs romains, centre d'un Etat supranational, creuset de nombreux peuples – ce poids de l'Histoire a cessé de peser sur la ville. Son climat se stabilise et s'équilibre. Mais elle ne pourra jamais échapper aux lois dictées par sa situation. Toujours le vent d'Est et le vent d'Ouest souffleront en même temps dans ses rues, sur ses toits.

Mais le vent de la vie est toujours mouvant.

Gertrud Fussenegger

Das Hotel Sacher gegenüber der Staatsoper. Das Hotel Sacher wurde auf dem Platz des früheren Kärntnertor-Theaters erbaut und ist bis heute der Treffpunkt der internationalen Gesellschaft. Weltbekannt wurde das Hotel auch durch die „Sachertorte", die der spätere Besitzer des Nobelhotels 1832 zum erstenmal als Koch des Fürsten Metternich zubereitete.

Hotel Sacher opposite the State Opera. Built on the site of the old Kärntnertor Theatre, Hotel Sacher is still a meeting place of international high society. Its world-wide fame is partly also due to the "Sachertorte" created for the first time in 1832 by Prince Metternich's chef who later became the owner of this smart hotel.

L'Hôtel Sacher, en face de l'Opéra de Vienne. Il se trouve sur l'emplacement de l'ancien théâtre de la Kärntnertor et est resté le grand rendez-vous mondain international. L'Hôtel Sacher doit sa réputation universelle à la « Tarte Sacher », une spécialité créée par le cuisinier du prince de Metternich en 1832. Ce cuisinier devint en suite propriétaire de l'hôtel.

Staatsoper mit der Kärntnerstraße. Von den Architekten August Siccardsburg und Eduard van der Nüll 1861–69 im Stil der französischen Frührenaissance erbaut, wurde die Staatsoper bald die Mittelpunkt der Wiener Musikkultur und Zentrum des europäischen Kulturlebens. Sie faßt 2200 Personen, und die Bühne ist eine der größten Europas.

The State Opera and view of the Kärntnerstrasse. Built between 1861 and 1869 by the architects August Siccardsburg and Eduard van der Nüll in the style of the early French Renaissance, the State Opera soon became the centre not only of Viennese musical culture, but of European cultural life in general. The opera seats 2200 persons and its stage is one of the largest in Europe.

Opéra de Vienne et Kärntnerstrasse. Construit par les architectes Auguste Siccardsburg et Edouard van der Nüll de 1861 à 1869 dans le style du début de la Renaissance française, l'Opéra de Vienne devint rapidement un centre de la vie musicale viennoise et de la vie culturelle européenne. Il est conçu pour 2200 spectateurs et sa scène compte parmi les plus grandes en Europe.

Musik und Theater in Wien

Wien ist die sprichwörtlichste Musikstadt der Welt und eine der gerühmtesten Theaterstädte des deutschsprachigen Raumes. Lange vor der Wiener Klassik hatte die Musik in der Landschaft um Wien, in den Vorstädten, im Volk, aber auch in den Palästen und in der Hofburg der österreichischen Regenten ihre Wiege. Unzählige Harfenisten, Bierfiedler, anonyme Sänger in Weinschenken, Mädchen an der Wäscheschwemme machten Musik auf Instrumenten oder durch ihr absichtsloses Singen, aber für ihren hohen und abgezirkelten Kreis komponierten auch, nachdem Maximilian I. mit der Wiener Hofmusikkapelle eine Tradition, die bis zu den heutigen Wiener Sängerknaben heraufführt, begründet hatte, die Kaiser Ferdinand III., Leopold I., Joseph I. und Karl VI.

Die Musikalität der Wiener wollte sich aber auch dem Auge vermählen, die anmutige Einheit von Landschaft, Stadt und Lebensgefühl drängte den sinnenfrohen Menschenschlag, zugleich zu hören und zu schauen, nicht nur singend, sondern auch tanzend und spielend mitzutun. Die neue Mischkunst aus dem Süden, die barocke Oper mit prunkhaften Balletten, tat dem Theaterspiel in Wien über das geistliche Schultheater hinaus weit das Tor auf. Wieder reichte der Spieltrieb bis hinauf zu Hof und Adel, die etwa bei der Aufführung eines „Roßballetts" im Hofe der Wiener Burg persönlich mitwirkten. Von dem italienischen Hofbaumeister Burnacini aber wurde auf der Burgbastei breitgelagert, das erste, hölzerne Opernhaus in Wien errichtet. Da hier „mit Zulassung aller Leute" gespielt wurde, war der Zustrom groß und riß nicht einmal während eines Türkenansturms vor den Toren der Stadt ab.

Musik durchwob auch das Stegreifspiel des Hanswurst, die Wiener umstanden hier die Holzpawlatschen auf freien Plätzen. Aber mit dem Nationaltheater auf dem Michaelerplatz, dem alten Burgtheater, das aus dem „Kleinen Stöckl" des Hofballhauses hervorgegangen war und mit eigener Straßenfassade ins Blickfeld der Wiener rückte, war der erste steingebaute Musentempel errichtet. Fast zur selben Zeit aber brach in Wien der große Musik- und Theaterfrühling an und zauberte schon um 1800 Theaterstätten aus dem Boden, die auch dem Volk, dem kunstbeflissenen Bürgertum offenstanden. Nach neuen Bauplänen entstand aus dem „Theater auf der Wieden", wo 1791 Mozarts „Zauberflöte" mit dem Textdichter Emanuel Schikaneder als Papageno aus der Taufe gehoben worden war, das Theater an der Wien – und steht restauriert und bespielt bis zum heutigen Tag. Das ebenso alte Theater in der Leopoldstadt machte später als Carltheater Epoche, existiert aber heute nicht mehr, dagegen hat das Theater in der Josefstadt nicht nur seine wechselvolle Umbaugeschichte überlebt, sondern seine Funktion für das Sprechstück, seinen Schauspielerruhm unverwelkt bis in die Gegenwart erhalten.

Je mehr sich die Wiener Gesellschaft in aufsteigende Schichten differenzierte, der Wohlstand und die allgemeine Bildung wuchsen, die Gattungen der Theaterkunst durch die junge Blüte der Operette und das lebensnahe Volksstück vielseitiger wurden, desto üppiger schossen die Bühnen aus dem theatersaftigen Wiener Boden. Viele Prinzipale und Theatergründer versuchten ihr Glück in

Das Stiegenhaus der Staatsoper. Das von den Zerstörungen zu Kriegsende 1945 verschont gebliebene Stiegenhaus mit dem breiten doppelten Aufgang schmückten die Statuen der sieben Künste von Joseph Gasser. Ebenso blieben die Fresken in den Lünetten über den Wänden aus Weiß und Gold von Moritz von Schwind aus dem Jahre 1867 erhalten.

The Great Staircase in the State Opera. The double stairs, decorated with statues of the seven arts by Joseph Gasser, was not destroyed in 1945 and the same is true of the white and gold lunettes with frescoes by Moritz von Schwind dated 1867.

Le grand escalier monumental de l'Opéra. Demeuré intact lors des destructions à la fin de la guerre en 1945, l'escalier double est orné de statues dues à Joseph Gasser et représentant les sept arts. Les fresques en blanc et or, dans les lunettes au-dessus du murs, demeurèrent également intactes. Elles sont dues à Moritz von Schwind et datent de 1867.

Wien. Als in der Gründerzeit die Architekten van der Nüll und Siccardsburg die Hofoper und Hasenauer und Semper das Hofburgtheater an der neuen Ringstraße als Palastbauten erstehen ließen, da hatte die Theaterstadt Wien ihre glanzvolle bauliche Repräsentanz, aber das Theaterbauen in Wien hatte schon vorher emsig eingesetzt und ging weiter über die Jahrhundertwende hinaus.

Aus dem Stadttheater auf der Seilerstätte, das mit Schillers „Demetrius" 1872 eröffnete, wurde später das Etablissement Ronacher, nach 1945 war es das Nothaus für das bombenbeschädigte Burgtheater und ist heute Produktionsstätte des Österreichischen Fernsehens. Das Deutsche Volkstheater, von den Architekten Fellner und Helmer erbaut und 1889 mit Anzengrubers „Der Fleck auf der Ehr'" eröffnet, wurde vom Bürgertum als Pflegestätte des Volksstückes und Gegengewicht zum Klassikertheater der Hofbühne am Ring errichtet, ebenso war das 1893 eröffnete Raimundtheater als gehobener Musentempel für die Vorstadt gedacht, von Raimunds „Gefesselter Phantasie" an mit Sprechstücken im Spielplan geführt, ehe es zum erfolgreichen Operettentheater wurde. Ähnlich war das Wiener Bürgertheater im Landstraßer Bezirk, 1905 eröffnet, vom Schauspiel zur Operette übergegangen. Auch das Kaiserjubiläums-Stadttheater am Währinger Gürtel, dessen Eröffnungsstück 1898 Kleists „Hermannsschlacht" war, wurde erst nach und nach reines Musiktheater und zur „Volksoper" umgetauft.

Von den zahlreichen Wiener Theatern, die Feuerbränden oder der Spitzhacke zum Opfer fielen, hatte das legendäre „Kärntnerthor-Theater", das ungefähr an der Stelle des heutigen Hotels Sacher stand, eine bewegte und frühe Geschichte. Hier trat noch der Hanswurstschöpfer Stranitzky auf, hier hatte die italienische und deutsche Oper große Abende, letztere mit Webers Werken und Beethovens „Fidelio" in der revolutionären Darstellung der jungen Wilhelmine Schröder-Devrient mit theatergeschichtlichen Meilensteinen. Das Harmonie-Theater in der Roßau wurde als Danzers Orpheum zum berühmten Varieté und später als Neue Wiener Bühne ein angesehenes Schauspielhaus, an dem große Schauspielerkarrieren begannen. Tragisch bleibt die Erinnerung an das Ringtheater, das 1874 als „Komische Oper" seine Pforten öffnete und 1881 hunderten Menschen den Tod brachte, als es in Flammen aufging. Es gab in Wien an der Schönbrunner Straße aber auch eine Sommerarena, die 3500 Personen faßte und um die Mitte des vorigen Jahrhunderts ihre Blüte hatte, es gab um dieselbe Zeit ein Theater am Franz-Joseph-Kai, das durch Feuersbrunst zerstört wurde, es gab das Fürst-Theater im Prater, das nach einem Direktionswechsel als Jantschtheater umgetauft und umgebaut wurde und ganz groß 1898 mit Shakespeares „Julius Cäsar" eröffnete, wie ja auch das Thalia-Theater trotz Holzbau und Lage in der Vorstadt 1857 die Wiener Erstaufführung von Wagners „Tannhäuser" brachte. Die Theatergöttin Thalia als Freskomalerei war die Ursache, daß ein Wiener Theaterbau 1848 zerstört wurde: das Sulkowski-Theater in der Wiedner Hauptstraße. Uniformierte Kroaten hielten Thalia für eine politische Freiheitsgöttin, sie demolierten das ganze Haus.

Die vielen Wiener Liebhaberbühnen in Gasthöfen oder kleinen Konzertsälen, auch das in der Canovagasse im Palais Wertheim eingebaute Residenz-Theater für private Darbietungen zum Vergnügen des Hausherrn und seiner Gäste, hatten die höchste illustre Vorgängerin im Schönbrunner Schloßtheater. Es wurde unter Maria Theresia von Nikolaus Pacassi erbaut und von Ferdinand von Hohenberg ausgestattet. Hier spielten die Kinder der Kaiserin unter ihren Augen, hier deklamierte später der Herzog von Reichstadt aus französischen Klassikern, wurde im ganzen 19. Jahrhundert vor Souveränen und Ministern, die in Wien zu Gast waren, gesungen und gespielt. Und noch heute entzückt das anmutige Interieur bei Aufführungen des Reinhardt-Seminars oder der Wiener Kammeroper.

Nicht so früh wie Oper und Schauspiel hatten in Wien Konzerte instrumentaler oder oratorienhafter Art ihre eigenen Tempel. Noch um 1800 waren die Paläste des Wiener Adels Uraufführungsstätten für Tonschöpfer wie Beethoven, vor allem die Palais Lobkowitz und Rasumowskij. Und Haydns „Schöpfung" fand 1808 im Festsaal der Alten Universität den gerade würdigen Rahmen. Erst die Gründung der heute weltberühmten Wiener Orchester und Musikgesellschaften, aus denen die großen Singchöre hervorgingen, ließ auch die repräsentativen Wiener Musiktempel erstehen. 1870 wurde das von Theophil Hansen im antikisierenden Renaissancestil erbaute Neue Musikvereinsgebäude mit einem Festkonzert eröffnet und ist bis heute mit dem Großen Musikvereinssaal, dem Brahmssaal und Kammersaal sowie mit seinen Probenräumen ein Zentrum des Wiener Musiklebens geblieben. Seit 1913 steht unweit vom älteren Musikvereinsgebäude das Wiener Konzerthausgebäude, dem auch die Wiener Akademie für Musik und darstellende Kunst und die Dependance des Burgtheaters, das Akademietheater, eingegliedert sind. Auch hier pulst mit großer Lebendigkeit, auch stark der modernen Tonkunst geöffnet, die Ader der Wiener Musikwelt.

Ernst Wurm

Staatsoper

... Wie die Geige sich fügt mit widerspenstigem Holze,
hat der Stein sich gefügt, Edelstem Ausdruck zu sein.
Aus bemäkelter Stätte aufstieg der menschliche Chorus,
der uns, vordem nicht gehört, Sinnbild und Inbild erweckt.

Große, die Größten fügten sich kniend ein, und sie taten
Gottesdienst hier, entrückt, wie ihr Gesetz es befahl.
Größeres, wie da der Mensch den Menschen feierte, habt ihr
niemals vorher gesehn. Lauterstem Hörsinne war,
ist dies Haus ein Gefäß. Ein Schönstes des Menschen zu fassen,
steht es da und verbürgt klar uns das Hiersein, die Welt.

Höre die Welt! Und sie rede von Gott nicht, nein, sie besinne
sich am Rande des Tods, daß wir Geschaffene sind.
Aber Geschaffene haben, Geschöpflichem schon überlegen,
Gott gepriesen. Und hier tönt das Abendland noch ...

Josef Weinheber

Die Spanische Reitschule

Die Spanische Reitschule als Institution, die Reitbahn und die Lipizzaner sind eine Einheit: sie gehören zusammen und lassen, dank günstiger Gegebenheiten, die sie im Laufe ihrer Geschichte im Hause Österreich fanden, dieses Institut als das erscheinen, was es heute darstellt, ein Juwel, um das uns die ganze Welt beneidet. Es ist das einzige und letzte Reitinstitut, in dem die klassische Reitkunst noch in reinster Form gepflegt und zu jener Vollendung gebracht wird, wie sie uns in den Abhandlungen Xenophons (um 400 v. Chr.) aufgezeichnet, auf Reliefs aus jener Zeit erhalten und in alten Stichen plastisch vor Augen geführt wird.

Ihren Namen verdankt sie dem Umstand, daß seit ihrer Gründung in der zweiten Hälfte des 16. Jahrhunderts nur Pferde spanischen Ursprungs – Lipizzaner –, und zwar nur Hengste, in der Hohen Schule ausgebildet werden, da diese sich dank ihrer hervorragenden Eigenschaften, wie Kraft, Intelligenz und Adel, dafür besonders eignen.

Unter dem Begriff „Hohe Schule der Reitkunst" im klassischen Sinne, deren Hüterin die Spanische Reitschule ist, verstehen wir die durch die gymnastische Durchbildung der Gesamtmuskulatur des Pferdes erreichte Fähigkeit, die schwierigsten mit der natürlichen Gehmechanik des Pferdes im Einklang stehenden Übungen im vollkommenen Gleichgewicht durchzuführen. Sie findet ihren Ausdruck in anscheinend spielerischer Leichtigkeit und in der Harmonie der Bewegung.

Übungen, die man zeitweise im Zirkus als „Hohe Schule" zeigt, etwa Galopp auf drei Beinen, Walzerschritt usw., die also mit der natürlichen Fußfolge des Schrittes, Trabs und Galopps nicht übereinstimmen, haben hier keinen Platz. Die klassischen Schulsprünge oder „Schulen über der Erde", wie sie an der Spanischen Reitschule genannt werden – Levade, Kapriole, Courbette –, stehen im Gegensatz zu dem letztgenannten Prinzip. Sie ergeben sich als Folge des Durchgerittenseins, als Entspannung aus äußerster Versammlung und sind beim Spiel der jungen Hengste auf der Weide oft zu beobachten.

1572 ist die Spanische Reitschule zum ersten Male aktenkundig als „Spanischer Reithsall" erwähnt. Ihre Hauptaufgabe bestand ebenso wie die aller anderen um diese Zeit an den europäischen Fürstenhöfen, einschließlich England, entstandenen Reitschulen neben der Pflege der wiederentdeckten Reitkunst in der Erziehung der adeligen Jugend, künftiger Diplomaten und Feldherren. Die Bereiter als Vermittler dieser Kunst standen als Lehrer in höchstem Ansehen, wurden selbst geadelt und im diplomatischen Dienst verwendet.

Heute fallen der Spanischen Reitschule drei Hauptaufgaben zu: Pflege und Sicherung des Fortbestandes des aus jener Zeit stammenden equestrischen Gedankengutes, das in den Vorführungen dem Publikum sichtbar vor Augen geführt werden soll; Beeinflussung der allgemeinen Dressurreiterei, die ja auf den klassischen Grundsätzen fußt, durch Ausbildung hiezu geeigneter Schüler des In- und Auslandes Prüfanstalt für die Lipizzanerzucht insofern zu sein,

Der Michaelertrakt der Hofburg. Den Bau entwarf Joseph Emanuel Fischer von Erlach, vollendet wurde er erst 1893 von Ferdinand Kirschner. Ein großartiger schmiedeeiserner Gitteraufsatz und Gestalten aus der Herkulessage schmücken das Burgtor. Im Michaelertrakt befand sich ab 1776 das alte Burgtheater.

Michaeler Wing of the Court Palace. The building was designed by Joseph Emanuel Fischer von Erlach, but completed only in 1893 by Ferdinand Kirschner. The gate is crowned by a magnificent wrought-iron grill and flanked by figures from the Hercules Saga. Since 1776 the old Court Theater was in the Michaeler Wing of the Palace.

Le Michaelertrakt, une aile de la Hofburg. Plans de Joseph Emanuel Fischer von Erlach; construction achevée en 1893 par Ferdinand Kirschner. Une magnifique grille en fer forgé et des personnages de la légende d'Hercule ornent la porte du château. A partir de 1776, l'ancien Burgtheater se trouvait dans le Michaelertrakt.

Hofburg. Das Portal zum Schweizerhof. Der Schweizerhof ist der älteste Bau der Hofburg, die urkundlich zuerst 1279 genannt wurde. Beim Umbau des gotischen Gebäudes 1536–66 zur heutigen Renaissanceburg wurde auch das prachtvolle Schweizertor mit seinen Deckenfresken unter dem Torgewölbe 1552 errichtet.

The Court Palace. Gateway to the Swiss Court. The Swiss Court is the oldest part of the Palace, documented for the first time in 1279. When the Gothic building was given its present Renaissance character in the reconstruction of 1536–1566, the magnificent Swiss Gateway with frescoes under the vault was erected in 1552.

Hofburg. Portail du Schweizerhof. Le Schweizerhof est la partie la plus ancienne de la Hofburg; cette construction fut citée pour la première fois en 1279. Ce bâtiment gothique fut remanié en style de la Renaissance de 1536 à 1566. Le magnifique portail avec ses fresques de plafond sous les voûtes de l'entrée fut érigé en 1552.

Eine Gruppe der Wiener Sängerknaben. 1498 wurde von Kaiser Maximilian I. ein Knabenchor von 16- bis 20jährigen „Kapellenknaben" als Teil der Hofmusikkapelle gegründet. Aus den in einem Konvikt erzogenen stimm- und musikbegabten Knaben gingen viele berühmte Musiker wie Josef Haydn, Franz Schubert, Georg Helmesberger und Cl. Kraus hervor.

A group belonging to the Vienna Boys' Choir. Emperor Maximilian I. founded in 1498 a special choir for boys aged 16 – 20, as part of the Court Orchestra. Many of the gifted boys, brought up in their own boarding school, later became famous musicians – Josef Haydn, Franz Schubert, Georg Helmesberger, Clemens Kraus, and others.

Groupe des Petits Chanteurs de Vienne. En 1498 l'empereur Maximilien Ier créa une manécanterie de jeunes chanteurs de 16 à 20 ans, faisant partie de l'orchestre de la Cour. Ces jeunes garçons douées pour la musique et ayant une belle voix étaient élevés dans un séminaire d'où sortirent plusieurs musiciens célèbres, comme Joseph Haydn, Schubert, Georges Helmesberger et Cl. Kraus.

Eine Vorführung der Lipizzaner in der Spanischen Reitschule. Die Lipizzaner sind Warmblutpferde, die nach dem ehemaligen kaiserlichen Hofgestüt Lipizza im heutigen Jugoslawien benannt werden. Heute werden diese Dressurpferde in Piber in der Steiermark gezüchtet.

A performance of the Lipizzaner horses in the Spanish Riding School. The Lipizzaner are thoroughbreds named after the former Court Stud Farm Lipizza in what today is Yugoslavia. These highly trained horses are now bred in Piber, Styria.

Une représentation des Lipizzans à l'Ecole d'équitation espagnole. Le Lipizzan est un cheval de pur sang qui tient son appellation de l'ancien haras impérial de Lipizza en Yougoslavie. De nos jours l'élevage de ces chevaux de dressage se fait à Piber en Styrie.

als die besten Hengste hinsichtlich Leistung als Vatertiere Verwendung finden sollen.

Die Reitbahn, in der die tägliche Arbeit und die Vorführungen stattfinden, ist eines der herrlichsten Baudenkmäler barocker Architektur und entstammt einer Zeit, in der Österreich auf dem Höhepunkt seiner Macht war und der imperiale Glanz seine vielleicht stärkste Leuchtkraft besaß. In der Zeit von 1729 bis 1735 von Joseph Emanuel Fischer von Erlach erbaut, verwirklicht der lichterfüllte Raum den Traum der Weite in zweckgebundener Begrenzung. In den Ausmaßen von 55 m Länge, 18 m Breite und 17 m Höhe tragen im ersten Rang 46 Säulen die Galerie und streben in ihrem Umlauf der Loggia, der einstigen Hofloge, zu, die die Stirnwand des Saales beherrscht und das Bildnis des kaiserlichen Bauherrn, Karls VI., hoch zu Roß, als einzigen farbigen Schmuck des ganz in Weiß gehaltenen Raumes, zeigt.

Trotz des beinahe sakralen Eindrucks, den diese herrliche Halle in dem Besucher erweckt, pulsiert hier in ihrer mehr als zweihundertjährigen Geschichte stets das Leben. Freud und Leid der Kaiserstadt, die ganze Glorie, aber auch die Nöte der großen Donaumonarchie spiegelten sich in ihren Räumen wider. Prunk und Glanz wurden im Laufe vieler Festlichkeiten zur Schau getragen, die in der Zeit des Wiener Kongresses wohl ihren Höhepunkt fanden, während man in den Tagen, als die Cholera 1831 Wien in Angst und Schrecken versetzte, die Geschäfte der Wiener Börse hierher verlegte, da man die Reitschule als weniger ansteckungsgefährdet ansah. In Monsterkonzerten mit 700 Musikern erklangen mehrmals Händels Oratorien „Samson" und „Belsazar", und selbst die Politik hielt für kurze Zeit Einzug, als im Revolutionsjahr 1848 der erste österreichische Reichstag hier tagte.

Nach dem letzten Karussell (reiterliche Wettbewerbe), das im Jahre 1894 stattfand, blieb die Schule fortan ausschließlich der Ausbildung von Pferd und Reiter in der Hohen Schule und jenen Vorführungen vorbehalten, die ohne alles theatralische Beiwerk die klassische Reitkunst in ihrem eigenen Adel und Glanz zeigen.

Und wenn die weißen Hengste die enge Gasse unter dem mächtigen Bogen, der die Stallburg mit der Reitschule verbindet, überqueren, erstirbt für einen Augenblick der Lärm des Großstadtverkehrs. Für einige Sekunden triumphiert ein Traum über die Nüchternheit unserer Tage. Die wuchtigen schmiedeeisernen Tore öffnen sich und geben einen Blick in eine andere Welt frei, die der österreichische Dichter Otto Stoessl einmal beschrieb: „Drei oder vier Paare reiten unter Fanfarenstößen in den hohen weißen Saal ein. Mit seinem Reiter bildet jedes Pferd ein Paar; jedes Pferd ein einziges unwiederbringliches Geschöpf, ein Genius seiner Gattung, deren schönste Verkörperung und Vollendung. Hingegen ist der Reiter auf dem Sattel, der Lenker und Beherrscher nur eben ein Mensch wie viele andere. Bei aller Kunst und Macht verschwindet er schier, wie immer, wenn es sich um die Bewältigung des Elements handelt. Im schwierigsten Kampf wird der Mensch eine Sache, sein Gegner aber, das Element, bleibt das Augenblickliche, unwiederholbare Einzige."

Mit weitausholender Gebärde ziehen die Bereiter ihren Zweispitz, ihr Gruß gilt nicht dem Publikum, er gilt dem kaiserlichen Bauherrn, und unter den Klängen alter Musik offenbaren die Schimmelhengste ihre zu scheinbar schwerelosem Spiel gebändigte Kraft. Licht wie die großartige Szenerie des

Raumes sind diese Pferde und zu dem Weiß ihrer in ausgeprägtem Rund modellierten Formen kontrastiert, vornehm gedämpft und doch zugleich voll des farbigen Glanzes, reiterliche Ausrüstung und Gewandung. Der zweireihige, hochgeschlossene braune Frack, der mit goldener Borte gezierte Zweispitz, die Reithosen aus weißem Leder, die schwarzen, über die Knie reichenden Stulpstiefel mit Anschnallsporen – das alles ist ehrwürdige Überlieferung und über die Jahrhunderte unverändert geblieben. Der Schulsattel aus Hirschleder ruht auf der dunkelblauen oder scharlachroten, von einer breiten Goldborte umrandeten Schabracke, Schweif und Mähne der Pferde sind bei festlichen Anlässen eingeflochten und mit Goldquasten verziert. Eines fügt sich nahtlos ins andere. Mensch und Tier, Kleidung, Zaumzeug und Sattel wirken zusammen, wie es die Fülle tut in einem alten Gemälde von Meisterhand. Das Bild aber lebt nicht nur in der Innenwelt des Betrachters. Es existiert unabhängig von den Augen, denen es sich erschließt.

Hans Handler

Ancien régime

Du beweinst die Leut und die Rösser?
In die Palais und die Schlösser
kommst nicht hinein.
Dort ist schon noch manches beim alten,
gehegt und geheimgehalten,
sacht wie ein Glorienschein.

Gemälde in schnörkligen Rahmen,
uralte, adlige Namen,
schön Reih an Reih.
Und durch die Fluchten der Zimmer
– die Kerzen brennen noch immer –
begleitet dich der Lakai.

In Remisen, dumpf und gewesen,
die Kabrioletts und Chaisen,
sie warten nur.
Sie schlafen hier, vielgereister,
bis sie ihr Wagenmeister
holt zu der großen Tour.

Das ist dann ein Wenden und Neigen,
ein Sichverbergen und -zeigen
wie weißgottwann.
Aber der Bürger am Fenster
sieht in der Nacht die Gespenster
und glaubt am Tag nicht dran . . .

Josef Weinheber

Das Schweizertor und der Schweizerhof

Für die Gestaltung der Portale von Burgen, Schlössern und Bauten der Gemeinschaft waren andere Beweggründe wirksam als beim Bürgerhaus. Erhielt das Burgtor eine Form, die über die Erfüllung der Sicherung gegen Angriff und Eindringlinge hinaus den Ausdruck von Wucht und schwer zu brechender Kraft verströmte, so gesellte sich beim Schloßportal zum Moment des Machtvollen auch das des Prächtigen, wie es als schönes Beispiel das Schweizertor der Wiener Hofburg darstellt.

Der „Schweizerhof", der älteste Teil der 1279 urkundlich genannten Wiener Hofburg, ist eine annähernd quadratisch angelegte Gebäudegruppe mit Innenhof, die vier Ecktürme und einen Umfassungsgraben besaß. Sie wurde 1547 und 1552 an den Außenseiten verändert, und erhielt damals auch das streng architektonisch gegliederte westliche Hauptportal. Architekt war vermutlich Pietro Ferabosco. In der Durchfahrt sind Deckenfresken (Grotesken, österreichische Wappen) von Battista Porti aus dem Jahre 1553.

Alois Schmiedbauer

Kaisergruft

Schweig! Besinn's! Tritt ein in die Nacht! Gesetzt ist
hier dem Weg ein Ziel. Was befahl, beschied sich,
und was groß war, ruht: Das gekrönte Haupt und
alle die Händ' der
Taten, Schwert und Kreuz, überkommne Kraft des
Zepters, Schlacht und Sieg, und der Fahnen wilder
Schwung, und Schild voll Prunk, und des Adlers
erz- und erbliches Zeichen.

Düstrer Sarg zu Särgen: und trägst doch, starrer
Schädel, noch die Krone? Ja, Staub, er wird zu
Staub. Doch Fürst bleibt Fürst. Nur die Bettler
sterben ganz, mit dem Fleische.

Wer kann sagen, Tod sei gerechter oder
anders nur als Leben – Und plötzlich wäre
Auftrag nichts, und Unterschied nichts, und Adel
gleich der Entartung?
Nein, kein Tod gleicht aus. Die verwandelt ruhen,
sind wie hier: für ewig. Ein jeglich Zeichen
bleibe! Unerbittliches Maß: Der Ehrfurcht
wie des Vergessens.

Josef Weinheber

Sankt Stephan als Symbol

Die Mystiker des Mittelalters hatten das „himmlische Jerusalem" als eine kristallene Stadt geschaut, mit leuchtenden Wänden aus Edelsteinen, von göttlichem Licht durchschienen. Diese Visionen, welche die Mystiker mit dürren Worten in die Sprache der Erde zu verdolmetschen suchten, wollten die gotischen Architekten mit den Mitteln der Erde vor die Augen der Menschen zaubern. Tatsächlich gelang es ihnen, durch Auflösung der Wände in Glasfenster, durch Beschränkung der Steinverwendung auf das Mindestmaß eines Konstruktionsgerippes, durch Auflösung dieser Steine in filigranste Formen, eine Entmaterialisierung des Materials vorzutäuschen und den Bewohnern der Erde in den Kathedralen nicht nur ein Symbol, sondern ein sichtbares Abbild des himmlischen Jerusalem zu geben.

Gegen diese Konzeption hatte sich der Protest der Bettelorden erhoben. Sie lehnten es ab, aus der Kirche eine Schau zu machen. Für sie ist die Kirche nichts anderes als ein Haus neben anderen Häusern, eine schlichte Gebetshalle neben den Markthallen.

Die Kathedrale von Wien stellt den großartigsten Versuch einer Synthese zwischen beiden Formen dar: der Chor ist reinste Kathedralgotik, das Langhaus reinste Bettelordensgotik. Doch während der Chor äußerst nüchtern erscheint, wird die nüchterne Form des Langhauses durch die Kunst der Portale, der Fenster, der Kapellen neuerlich zu einer hochmittelalterlichen Kathedrale. Die große Kraft und Kunst des Österreichers, immer wieder Synthesen zu finden, hat sich an diesem Bauwerk wieder bewiesen: es gelang ihm, den Stil der Könige und Bettler, die Kunst der mächtigsten Herren und der mindesten Brüder zu einer Einheit werden zu lassen und in der Stadt des irdischen Königs von Jerusalem (die Habsburger trugen diesen Titel) dem himmlischen Jerusalem des Königs der Könige ein Abbild von einmaligem Glanz erstehen zu lassen.

In dieses Abbild einer himmlischen Stadt sind am 11. April 1945, als der Krieg für die Innere Stadt Wien schon zu Ende war, die Greuel der Verwüstung eingebrochen. Das Schicksal, das ihr Namenspatron erlitt, ist auch das ihre geworden. Wie der heilige Stephanus, der Diener der Kirche, von den Geschossen der Feinde zermalmt wurde, so wurde auch diese Kirche, welche Gott diente, von den Geschossen der Kriegsfurie zerstört. Aber wie das Martyrium des heiligen Stephanus der Kirche nur Glanz verlieh, so hat auch das Martyrium dieses Gotteshauses der Kirche neuen Glanz gebracht: ist doch der Wiederaufbau des Domes ein Symbol für die Einheit und Kraft der Christenheit. Denn an seinem Wiederaufbau beteiligten sich nicht nur alle Schichten der österreichischen Bevölkerung, sondern auch viele einzelne Gemeinden, alle Bundesländer, ja selbst der Staat. Der Dom ist im wahren Sinn des Wortes ein gesamtösterreichisches Kunstwerk, eine Kirche, die ganz Österreich gehört. Aber nicht nur Österreich beteiligte sich am Wiederaufbau, sondern aus vielen Teilen Europas, ja der ganzen Welt liefen hilfreiche Gaben ein, damit durch sie die Wundmale des Krieges getilgt werden könnten.

Willy Lorenz

Der Stephansdom

Wien ist nicht nur eine Stadt, sondern eine Landschaft, als deren markanteste Punkte ein Topograph einst den Kahlenberg und Leopoldsberg, den Bisamberg und – den Stephansdom bezeichnete. Und wahrhaftig: einem Gebirge gleich steigt dieser kunstvoll aufgeführte Bau aus den Klippen der Dächer, mehr als nur eine Kirche, nämlich neben der im Jahre 740 gegründeten, aber erst 1137 romanisch ausgebauten Ulrichskirche das – in einzelnen Teilen – älteste Bauwerk der Stadt. Denn seiner hinreißenden, schlechthin überwältigend zu Fialen und Wimpergen ansteigenden Gotik ist ja ein romanischer Bauteil eingesetzt, und dazu noch einer von bezwingendster Wirkung: nämlich das Riesentor mit den zwei Heidentürmen. Es stammt von der um die Mitte des 13. Jahrhunderts geweihten Pfarrkirche zum heiligen Stephan, der aber eine noch ältere Kirche aus der Regierungszeit des Babenberger-Herzogs Heinrich Jasomirgott vorausgegangen sein soll. Von dieser allerersten Kirche am gleichen Platze ist aber nichts mehr erhalten. Umso großartiger jedoch steht die Domfassade des folgenden romanischen Gotteshauses – formvollendet dem gotischen Neubau aus der ersten Hälfte des 14. Jahrhunderts eingebunden – hier: eine ragende dunkle Wand mit dem wuchtigen Riesentor, das die gegiebelten Flanken eindrucksvoll in ihre Mitte nehmen. Über ihnen setzen die reichgegliederten Fronten und Steinhelme der achtseitig angelegten, vielfenstrigen Heidentürme den Zug nach oben fort. Das Tor selbst zeigt reichen plastischen Schmuck, eine figurale Dekoration voll geheimer Symbolik mit dem im Bogenfeld thronenden Christus in der Mandorla, mit Halbfiguren der Apostel und anderen Gestalten sowie mit Wesen der Apokalypse. Phantastische Allegorien nisten auch sonst noch überall an den Wänden, steinerner Schmuck, Bildwerke und Denkmäler rund um den Dom, seinen Mauern eingewachsen wie das Grabmal des volkstümlichen Minnesängers Neidhart von Reuenthal oder die Kanzel des hinreißenden Predigers Capistrano, neben der Mozart vor seiner Beisetzung in einem Armen-Schachtgrab auf dem St. Marxer Friedhof eingesegnet wurde.

Und erst der Turm! Er ragt wahrhaftig wie eine Felsnadel hoch. Er ist das steinerne Rufzeichen Wiens. Wer aus der Churhausgasse zu ihm aufschaut, glaubt einen gewaltigen Pfeiler im Gebirge hinanzublicken, eine gigantische Wand, die mit Krabben, mit erstarrten Kriechblumen und Knospen, mit Baldachinen, Wimpergen und Fialen, mit Gurten und Spitzbogen himmelan zur quadratischen Kreuzblume strebt. 137 Meter hoch, bietet sich da oben ein letztes Podium unter den Sternen, eine schwankende Rast. Eine vibrierende und bebende Plattform. Denn der Turm soll, wenn ein Sturm an ihm rüttelt, mit seiner Spitze recht bedenklich ausschwingen. Und ehemals tat er das auch beim Dröhnen der „Pummerin", der größten Glocke Österreichs.

Sie war im Jahre 1711 aus dem Erz erbeuteter türkischer Kartaunen gegossen worden, stürzte aber in dem um Wien tobenden Endkampf des Zweiten Weltkrieges im April 1945 durch das Kirchendach und zerbarst in Stücke. Nachher, während der Wiederinstandsetzung des damals überaus schwer beschädigten und flammenverwüsteten Doms, wurde sie jedoch neu gegossen, wobei man ihrer Glockenspeise

Reste der alten Pummerin beimengte. Und so besitzt Sankt Stephan nun wieder Österreichs größte Glocke. Ihr Geläute durchbebt aber nicht mehr den Hochturm. Sie wurde in den sogenannten Adlerturm, den unausgebauten Nordturm, gehängt und schickt von dort aus ihre gewaltige, dunkle und feierlich nachsummende Stimme über die Stadt: eine mächtige erzene Orgel, ein silberner Mund zur Ehrung und Lobpreisung Gottes.

Die neue Pummerin wiegt samt Klöppel und Scharnierschraube 21.383 kg – die alte wog 19.800 kg; sie besitzt einen Durchmesser von 314 cm, eine Gesamthöhe von 294 cm und trägt sechs Türkenköpfe an den Armen der Henkelkrone sowie drei Bildreliefs am Mantel, die die Madonna, eine Szene aus der Türkenbelagerung Wiens des Jahres 1683 und den Kirchenbrand von 1945 zeigen. Die Pummerin zu besichtigen ist ein lohnendes Unternehmen. Man schwebt in einem Schnellaufzug zu ihr und zur Aussichtsplattform des Adlerturms hinauf und wird hier nochmals – wie vordem in der Churhausgasse – vom Anblick der steingewordenen Formensprache des Hochturms, des alten „Steffel" – wie der Wiener dieses Wahrzeichen seiner Stadt nennt – überwältigt. Ganz dicht steht er hier, hochfahrend hinter dem vorgelagerten Steildach des Kirchenschiffes, vor dem Betrachter. Welches flammensäulenhafte Hinanströmen der Fluchten, der Linien und Wände! Welche Großartigkeit der Gestaltbildung! Ein mächtiger Griffel, die Tafel des Himmels mit heiligen Zeichen vollzuschreiben! Welche hinreißend schöne Gotik!

Herbert Strutz

Das Riesentor

Mächtige Gitter
Dämmen den Strom;
Hirten und Ritter
Schirmen den Dom.

Strebende Pfeiler
Stützen den Sims,
Träger und Teiler
Kündenden Grimms.

Tiere, Dämonen
Drohen der Zeit:
Doch über Äonen
Wohnt Ewigkeit.

Schreiten Figuren
Heiligen Tanz;
Blüht um Skulpturen
Ewiger Glanz?

Maßwerk der Zeiten
Spaltet das Tor;
Apostel schreiten
Drüber hervor.

Ferne durch Scheiben
Glüht es schon licht.
Engel schreiben
Jüngstes Gericht.

Ahnung und Alter
Lasten darauf:
Steinerne Psalter
Tut sich weit auf.

Hans Nüchtern

Das Kärntnertor-Theater

Hanswurst, der Liebling nicht nur des „gemeinen Mannes", sondern auch der vornehmen Stände, trieb sein Unwesen zuerst in hölzernen Hütten, die auf verschiedenen Plätzen der Inneren Stadt, so z. B. auf der Freyung, auf dem Neuen Markt (vor dem Haus „Zum roten Dachl"), auf dem Judenplatz usw., aufgestellt waren. Josef Anton Stranitzky schuf die neue Rolle, die die Narrenmasken früherer Zeit verdrängte, und agierte in der Holzhütte auf dem Neuen Markt, die er 1708 bereits als dirigierender Prinzipal sein eigen nennen konnte. Inzwischen kam dem Wiener Magistrat die Idee, die feuergefährlichen Komödienhütten abzuschaffen; deshalb bat er Joseph I. um die Erlaubnis, ein „steinernes Theater" in der Nähe des Kärntnertores erbauen zu dürfen, was ihm unter Zusicherung eines kaiserlichen Privilegiums auch gestattet wurde, und welches Theater, rasch aufgebaut, bereits 1709 von „wällischen Komödianten" eröffnet werden konnte. Die „wällischen" Künstler schienen jedoch kein sonderliches Glück gehabt zu haben, denn schon 1712 nahmen sie Abschied, worauf Stranitzky mit seiner Truppe, die inzwischen im „Ballhaus" in der Teinfaltstraße ihre Vorstellungen gegeben hatte, von dem verwaisten Haus Besitz ergriff und hier seine Vorstellungen gab. Er blieb bis zu seinem Tod (1727) unumschränkter Besitzer des Theaters, das dann auf sein Eheweib Monika, genannt „die Hanswurschtin", überging. Bereits 1728 trat die Witwe Stranitzkys das Theater an die „Hofmusici" Borosini und Selliers ab, die ein zwanzigjähriges Privilegium erhielten und das Haus dem deutschen und italienischen Lustspiel, aber auch der Oper und dem Ballett widmeten. Von 1742 an war Selliers der alleinige Pächter des Kärntnerthor-Theaters, 1751 übernahm Baron Rocco de Lopresti die Leitung, legte diese aber schon im nächsten Jahr zurück, so daß das Theater, da Maria Theresia dessen Privilegien aufhob, 1752 wieder dem Magistrat zufiel, der es Leopold v. Ghelen zur Verwaltung übergab. Am 3. November 1761 wurde das Theater das Opfer einer entsetzlichen Katastrophe. Man gab die Burleske „Don Juan oder Der steinerne Gast, mit Hans Wursts Lustbarkeit", als kurz vor Schluß der Vorstellung Feuer ausbrach, das das ganze Gebäude vernichtete. Der Hof kaufte die Brandstätte, und nachdem das Projekt, das neue Theater auf dem Neuen Markt zu errichten, fallengelassen worden war, wurde der Neubau an derselben Stelle nach den Plänen des Hofarchitekten Nikolaus Paccassi hergestellt und am 9. Juli 1763 mit einer Farce von Weißkern und dem aus dem Spanischen übersetzten Schauspiel „Der betrogene Betrug" eröffnet. Von da an wurde das Theater, das über dem Haupteingang mit einem kaiserlichen Adler aus Stein und einer Bildsäule des Apollo geziert war, wieder zum „Kais. Hoftheater" ernannt. Ab 1794 wurde es ausschließlich für das Ballett, für die italienische und später für die deutsche Oper verwendet.
Viele Jahre hindurch verpachtet, kam das Theater 1849 wieder in die unmittelbare Verwaltung des Hofs. Es stand ungefähr an der Stelle des späteren Hotel Sacher und wurde 1868 demoliert. Das neue Operngebäude wurde 1869 eröffnet.

Richard Groner

Dirndl und Dame

Die Wienerin ist der Natur treu geblieben seit jeher. Und jeder Sonntag wird zum Ausflug benutzt.

Deshalb ist es nur natürlich, daß sie mit Freude die Gelegenheit ergreift, sich möglichst oft in die ländliche Tracht des Dirndlgewandes zu werfen, das von Österreich aus auch Amerika erobert hat, wo heute amerikanisierte „Dirndln" von der Stange herunter verkauft werden. Die Wienerin liebt es, und fühlt es auch als ihr eigen. „Ich suche die Frau mit den zwei D's –", sagte einmal einer, der von Frauen etwas verstand. „Zwei D's?" – „Ja: Dirndl und Dame in einem!" Traf er nicht den Nagel auf den Kopf? Er wollte nicht mehr und nicht weniger als die wahre Wienerin. Tatsächlich waren es die zwei, die, einander ergänzend, einander die Waage haltend, immer wieder das Wesen der Wienerin bestimmten: von den blumengeschmückten Wiesentänzerinnen jenes Neidhart von Reuenthal, der den Mädchen des Wienerwaldes die ersten Walzermelodien aufspielte, über die etwas hausbackenen, in Brokat gekleideten Bürgerinnen der Wiener Renaissance, die zierlichen Damen und schönen Stubenmädchen des Barocks und Rokokos, die der Lady Montague und Herrn Nicolai zu leichtlebig schienen, die Wienerin des Biedermeier, in der sich das Volkshaft-Liebliche zur gemütvollen Eleganz sublimierte und mit einer Elßler zwei Kontinente eroberte, bis zu den heutigen Töchtern der Stadt, die schon im Äußeren, aus dem Kleid der Dame in jenes Dirndl schlüpfend, ihr Wesen bildhaft umhüllen.

Die Wienerin sei genauso wie die Berlinerin, die Münchnerin, die Pariserin eine Fiktion, und die Frauen seien überall gleich, nämlich Frau mit allen gemeinsamen Eigenschaften – behauptete ein weitgereister Mann. Dennoch dürfen wir ruhig behaupten, daß dieser Mann sich geirrt hat, vielleicht eben weil er zu sehr befangen im Objekt, das Subjekt zu sehr außer acht ließ. Ein Franzose hätte derartiges nie behauptet; er ließe sich die berühmte französische Spezialität der Pariserin durch kein noch so anspruchsvolles Urteil rauben; und auch wir verbleiben bei der unseren und sind dabei in unserer Ansicht ganz gewiß nicht allein. Denn sie wird untermauert durch eine ganze Phalanx von historischen Feststellungen aus acht Jahrhunderten. Es gibt eine Literatur über die Wienerin, wie sie vielleicht nicht einmal die Pariserin aufweisen kann. Feststeht auch der immer bedeutende „Export" der Wienerin, die sich Männer von auswärts als Bräute holen. Nicht nur die Talente gehen in die Welt, auch die Gattinnen! Bei solchem Export, der einerseits eine Individualität mit besonderem und reizvollem Profil, eben dem Wesen des Wienerischen, voraussetzt, offenbart sich auch dessen andere Seite: die Fähigkeit, sich im fremden Lande zu adaptieren und zu behaupten – wobei dann der Wienerin ihre Geschmeidigkeit und Weltoffenheit beisteht, aber auch ihr gerundetes Wesen, mit dem sie den Fremden imponiert. In dieser Hinsicht kann man feststellen, daß die heutigen jungen Mädchen eine Selbstsicherheit und Spontaneität – auch des Entschlusses – aufweisen, wie sie älteren Generationen fehlte. Vielleicht liegt in jenem Zweiklang von Dirndl und Dame, der Naturverbundenheit mit Haltung und Anmut, das Geheimnis der Wienerin.   Ann Tizia Leitich

Stephansdom. Die Heidentürme über dem Westwerk. Über einer spätromanischen dreischiffigen Basilika wurde 1304 die Stephanskirche zu bauen begonnen. In den Neubau wurden dabei die beiden sogenannten „Heidentürme" einbezogen. An diesem bedeutendsten spätgotischen Münster wurde dreihundert Jahre lang gebaut.

St Stephan's Cathedral, "Heathens' Towers" above the west façade. The construction of St Stephan's was begun in 1304 on the foundations of a late Romanesque basilica with three naves. The so-called Heathens' Towers were incorporated into the new, Late gothic building which took 300 years to be completed.

Cathédrale Saint-Etienne. Les «Heidentürme», ou Tours des Païens, se dressent au-dessus de l'aile Ouest. La cathédrale se trouve sur l'emplacement d'une ancienne basilique romane à trois nefs. Sa construction commença en 1304 et dura trois cents ans. Les «Heidentürme» furent englobées dans la nouvelle construction. Saint-Etienne compte parmi les plus importantes cathédrales en Gothique flamboyant.

Bildnisbüste des Dombaumeisters Anton Pilgram unter dem Orgelfuß neben dem Querschiff. Meister Pilgram verewigte sich hier für alle Zeit mit Zirkel und Meßlatte, als blicke er noch aus dem Jenseits herüber in das von ihm erbaute Gotteshaus.

Portrait bust of the cathedral architect Anton Pilgram at the foot of the organ next to the transept. Master Pilgram represented himself with compass and ruler, as if looking from the beyond into the church he created.

Le buste du maître d'œuvre de la cathédrale, Anton Pilgram fait par lui-même, à côté de la nef transversale. Tenant un compas et une latte de mesure, maître Pilgram s'est immortalisé dans son sanctuaire et son regard semble venir de l'au-delà.

Der Dom von St. Stephan bei Nacht. An diesem Dom wurde seit dem 12. Jahrhundert bis heute gebaut. Das gotische Münster wurde um 1511 abgeschlossen.

St Stephan's Cathedral by night. From the 12th century to our days work on the cathedral continued almost without interruption. The gothic minster was completed in 1511. The 450 ft spire is a landmark visible from all directions. St Peter's dome is visible in the foreground, the church, built in 1702 to 1708, stands on the site of a 4th-century church.

La cathédrale Saint-Etienne, vue prise la nuit. La construction de la cathédrale se poursuit depuis le 12ème siècle. La cathédrale gothique fut achevée en 1511. Culminant à 137 m, la tour est le symbole de Vienne; elle est visible de partout. L'église Saint-Pierre – coupole à l'avant-plan – se trouve sur l'emplacement d'un sanctuaire dont les débuts remontent au 4ème siècle.

Stephansdom, Grabmal Kaiser Friedrichs III. Der 1415 in Innsbruck geborene Sohn des steirischen Herzogs Ernst wurde 1452 als erster österreichischer Herzog zum Römischen Kaiser gekrönt und legte den Grund zur Habsburger Großmacht. Er starb 1493 in Linz. Das spätgotische Hochgrab aus rotem Marmor schuf 1513 Gerhard von Leyden.

St Stephan's Cathedral, tomb of Emperor Frederick III. Born 1415 in Innsbruck as the son of Duke Ernest of Styria, Frederick was the first Austrian Duke to become Holy Roman Emperor. He was crowned in 1452 and laid the foundation for the Habsburg Empire. He died 1493 in Linz. Gerhard von Leyden created the Late Gothic tomb of red marble in 1513.

Cathédrale Saint-Etienne: le tombeau de l'empereur Frédéric III. Né en 1415 à Innsbruck et fils du duc Ernest de Styrie, en 1452 Frédéric III fut le premier duc autrichien élu empereur de l'Empire romain-germanique. Il fut à l'origine de la puissance mondiale des Habsbourg. Il mourut à Linz en 1493. Le tombeau en Gothique flamboyant est en marbre rouge et fut érigé en 1513 par Gerhard von Leyden.

Die „Gegend" vor der Burg

Nicht nur für den Kaiser, sondern auch für die Ringstraße war das Jahr 1888 bedeutungsvoll: Brachte es ihr doch mit der Fertigstellung und Ausgestaltung des Maria-Theresien-Platzes und der endlichen Eröffnung des neuen Burgtheaters ihre eigentliche Vollendung. Beendeten Siccardsburg und van der Nüll die Frühzeit des Ringstraßenstiles, so eröffneten der Hamburger Semper und der Wiener Hasenauer dessen Spätzeit, die schon den Keim des nahenden Verfalles in sich trug. Und wie sich vor dem Ersterben alle Kräfte noch zu einer letzten Äußerung zusammenraffen, so reißen diese beiden den Monumentalbau noch einmal hoch und übertrumpfen an Prunk und Umfang alles bisher Geschaffene. Aber der dröhnende Aufwand ihrer leicht protzenhaften Bauten spricht nicht mehr die vertraute Sprache des Wiener Dialekts und läßt uns darum auch so kalt.

Vor allem die monumentalen Riesenbauten der zwei Museen und der „neuen Burg", die als Überbleibsel einer größeren Planung mit ihren Maßen alles andere in den Schatten stellen. Außen und innen von mehr als reicher, aber kalter Pracht! Imponierend, aber nicht erwärmend! Die gewaltigen, langgestreckten Bauten der zwei Museen wirken trotz aller Gliederung kompakt und gedrungen. Lediglich die aus der Mitte ganz an den Rand der Hauptfront gerückten Kuppeln versuchen die mächtigen Körper hochzureißen. Je vier kleinere, die sie dienend umstehen, helfen ihnen dabei.

Dieses Motiv wiederholt sich aufs glücklichste im Meisterwerk von Zumbusch, dem Maria-Theresien-Denkmal, dessen Architektur ebenfalls von Hasenauer stammt. Gleich den vier Nebenkuppeln umstehen hier die ersten Diener des Staates ihre Herrin, die hoch über ihren Häuptern thront. Das Maria-Theresien-Denkmal ist die nach Fernkorns genialen Reiterstandbildern auf dem Heldenplatz weitaus bedeutendste Denkmalschöpfung der Ringstraßenzone. Die Idee zu einem zwischen den Museen postierten Standbild der großen Kaiserin reichte bis in die frühen siebziger Jahre zurück und wird der persönlichen Initiative des Kaisers zugeschrieben. Das geschichtliche Programm hierzu verfaßte der Leiter des Haus-, Hof- und Staatsarchivs, Alfred Ritter von Arneth, der mit seinem zehnbändigen Standardwerk Maria Theresia ein geistiges Denkmal gesetzt hat.

Mit dem Maria-Theresien-Denkmal hatte der Raum zwischen den beiden Museen und den Hofstallungen einen gewichtigen Mittelpunkt erhalten und sich verselbständigt. Es war der Anfang vom Ende des „Kaiserforum-Gedankens". Diese in der Werkstatt eines selbstbewußten Künstlers geborene, ihrem Wesen nach barocke Mammutplanung war selbst für den machtvollen Bauwillen der Ringstraßenzeit zu groß und ausfahrend gewesen. Der Schwung und der Atem der Stadterweiterung, der 30 Jahre lang vorgehalten hatte, wurde immer schwächer und hatte sich mit der Errichtung des Burgtheaters und der zwei Museen erschöpft. Der geradezu „gequält anmutende Verlauf des neuen Burgbaues" beweist es.

Fred Hennings

Liebeserklärung an die Ringstraße

Die Ringstraße ist die modernste Straße von Wien, wenn man mir zugesteht, daß „modern" und „zeitgenössisch" nicht unter allen Umständen gleichzusetzen ist. Sie ist ihrer ganzen Anlage nach von einer solchen Großzügigkeit, daß man meint, sie müsse zum Zeitpunkt ihres Entstehens die Verwirklichung einer Utopie gewesen sein. Kann sein, daß sie früher ein reines Prunkstück war – ein Überfluß an Bewegungsraum, für die, die es sich leisten konnten. Für uns stellt sie jene Straße dar, auf der man plötzlich den freien Atem spürt, wenn man aus dem Verkehrsgewühl der Vorstadtstraßen oder aus der Enge der Innenstadt herauskommt. Verkehrsstockungen gibt es natürlich auch auf ihr, doch arten sie weniger leicht zu einem Alpdrücken aus. Es gibt immer noch eine Dimension, in die man wenigstens mit den Augen ausweichen kann.

Was es entlang dieser Straße zu sehen gibt, stellt, wie man weiß, keine Baukunst dar. Der Lästerungen darüber gibt es genug. Es soll hier keine mehr hinzugefügt werden. Es genügt, daß die Straße als Ganzes ein Kunstwerk ist, dessen Schönheit allerdings nicht in den Einzelheiten, sondern sozusagen im großen Wurf besteht. Man ist versucht, von ihr zu sagen, daß sie fast schon an landschaftliche Schönheit grenzt, bei der nicht sosehr die Wohlabgewogenheit als die ständige Überraschung die Augen erfreut. Wenn man beispielsweise vom Heldenplatz, der zu seinem Glück nicht fertiggeworden ist und einen zauberhaften Rundblick gewährt, auf die Ringstraße schaut, stehen die Ringstraßenbauten über dem Grün der Baumalleen wie eine zarte, rauchblaue Bergkette da. Da gibt es die Hügel der Kuppeln über den Museen, den Tafelberg des Parlaments und, schon etwas in die Ferne gerückt, das Rathaus als ein bizarres, zerklüftetes Korallenriff. Von rechts schiebt sich wie ein Kreideklotz das Burgtheater in das Bild herein. Manchmal bei Sonnenuntergang, wenn der Himmel zur feuerfarbenen Kulisse wird, kommt etwas Wildbewegtes in diese Szenerie. Da tauchen über der „skyline" schwarze Gestalten in das Gegenlicht, geflügelt und mit emphatischer Gebärde, die mit gebäumten Rossen gegen Himmel fahren. Es sieht wie ein Bühnenbild zu einer Wagner-Oper aus. Aber hier, in dem freien Raum, über all dem wirklichen Grün, ist die überschwengliche Geste durchaus erlaubt. Was dem an Subtilitäten geschulten Blick aus der Nähe und bei kritischer Betrachtung als Kunstwerk zweiten Ranges erscheint, gewinnt als Silhouette Format.

Wer sich also darauf eingestellt hat, die Ringstraße als etwas zu betrachten, an dem der Stimmungsgehalt das Wesentliche ist, der wird ihr verzeihen, daß sie stillos ist und daß nach den heiligen Normen des Geschmacks fast nichts, das an ihr ist, zueinanderpaßt. Von einem gewissen Blickwinkel aus ist es zweifellos ein Fauxpas gewesen, im neunzehnten Jahrhundert eine gotische Kirche nachzubauen, einen griechischen Tempel samt Götterwelt, ein Rathaus, das nach „Made in England" aussieht, und all dies noch unbekümmert nebeneinanderzustellen. Es liegt aber auch ein Zug von Redlichkeit darin, wenn eine Zeit so unumwunden zugab, daß sie nicht schöpferisch war und sich offen vor aller Welt mit dem begnügte, was an gültigen Vorbildern dagewesen ist. Und man muß sich nicht einmal auf diesen Standpunkt stellen, um jenseits aller geheiligten Normen zu entdecken, daß die Ringstraße etwas höchst Lebendiges ist, das als Gesamtheit über seine Details triumphiert. Sie ist die gemächlich, doch kraftvoll pulsierende Herzschlagader von Wien. Ein kosmisches Kardiogramm würde vermutlich zu der Diagnose führen, daß sie gesund und frei von Entartungserscheinungen und, von geringfügigen Ansätzen abgesehen, auch frei von Arteriosklerose ist.

Wie alles, das lebendig ist, schafft sie Atmosphäre rings um sich und braucht Atmosphäre, um lebendig zu bleiben. Sie ist auf die Dauer nicht denkbar ohne den Duft, der im Frühjahr von den Gärten in sie hereinweht, ohne die Baumalleen, in all den Schattierungen von Grün, die der Jahresablauf mit sich bringt, und ohne die Wiesenchampignons, die man oft nach einem warmen Sommerregen auf den Grünstreifen neben der Fahrbahn finden kann. Sie ist von der natürlichen Schönheit einer Frau, die es sich leisten kann, jede oder auch gar keine Mode mitzumachen und an der jedes Beiwerk zur Nebensächlichkeit wird.

Hannelore Valencak

Rathauspark

Weiße Wege längs smaragdner Rasensäume;
sinnberauschend zittert schwerer Duft
alter, blühender Akazienbäume
durch die taugekühlte Morgenluft.

Weithin wolkenloser Himmel leuchtet
aus den kuppelweiten blauen Höh'n,
und das Rieseln der Fontänen feuchtet
in die Sinnlichkeit der Orchideen.

Rathausturmentklungenes Stundenschlagen
läutet in das stille Paradies,
Kinderwagen rollt auf Kinderwagen
torherein und übern weißen Kies.

Auf den braunen, festgerammten Bänken
macht sich jung und alt behaglich breit,
zu der Kinder Lachen stimmt das Denken
müder Greise an die Jugendzeit.

Draußenher kommt schrilles Wagenrattern,
rauscht das Lied des Alltags, der sich müht,
während hier im Sonnenfahnenflattern
reinste Liebe duftet, grünt und blüht.

Max Stebich

Das Phänomen Wien

Wien, nachmals zur strahlenden Metropole der Völkerwelt des Donauraumes emporgestiegen, ist von ungewisser, wenn man will niedriger Herkunft. Man weiß nichts Sicheres von ihrem zweiten Anfang. Die Siedlung, die sich – das darf angenommen werden – in dem Mauerviereck eines zweitrangigen römischen Grenzlagers, des Castrum Vindobona (wohl ein verformter keltischer Flurname), eingenistet hatte, natürlich ohne das Ruinenfeld auszufüllen, erscheint nicht in den Urkunden. Die beiden ältesten nachrömischen Erwähnungen des Namens Wien: 881 in den Salzburger Annalen, 1030 in den Niederaltaicher Jahrbüchern, lassen nicht erkennen, ob „Wenia" und „Viennis" ein, etwa gar befestigter, Wohnplatz oder bloß eine durch die Reste des Römerkastells bezeichnete Örtlichkeit war. Es hat Zukunftsbedeutung, daß der Name Wien schon am Aufgang seiner Geschichte mit kriegerischen Ereignissen und mit Katastrophen des Grenzkampfes in Verbindung steht: die Salzburger Annalen berichten vom ersten Zusammenstoß mit den Magyaren, die Niederaltaicher Jahrbücher von der Gefangennahme des Heeres Konrads II. Die Frage, ob es eine Kontinuität der Besiedlung von Vindobona zu Wien gibt, wird kaum je eindeutig beantwortet werden können; hier sind nur Hypothesen möglich. Jedenfalls hat weder die karolingische noch bei ihrer Gründung – nach dem magyarischen Interregnum, dessen Ende durch die Schlacht auf dem Lechfeld 955 herbeigeführt wurde – die babenbergische Ostmark das Gebiet von Wien mit eingeschlossen. Aber man darf vermuten, daß die zweite Kolonisationswelle der endgültigen militärisch-politischen Grenzverschiebung nach dem Osten ins Niemandsland vorausging.

Denn als Wien 1173 erstmals in einer Urkunde erscheint, später als niederösterreichische Städte, wie etwa Krems, Mautern, Tulln, ist es bereits eine civitas, ein organisiertes Gemeinwesen, kirchlich versorgt: Markgraf Leopold IV. tritt da dem Bischof Reginmar von Passau die Kirche St. Peter gegen Grundbesitz ab. Zwar ist mit Sicherheit anzunehmen, daß die civitas erst kurz vorher von Markgraf Leopold III. oder Leopold IV. gegründet worden war, Wien also schon in seinem Ursprung eine kolonisatorische Fürstenstiftung ist. Aber auch diese wird schon vorher eine Siedlungsgrundlage gehabt haben müssen. Dafür spricht, daß die Urkunde von 1137 eine Änderung der kirchlichen Organisation enthält: die Namen der ältesten Wiener Gotteshäuser, St. Ruprecht und Sankt Peter, beweisen Salzburger Ursprung, denn das sind Schutzheilige des Salzburger Hochstifts. St. Stephan aber, der Titel der späteren Wiener Hauptkirche, ist der heilige Schirmherr der Passauer Diözese, in deren Bereich Wien nun bis zur späten Verselbständigung unter Kaiser Friedrich III. im Jahre 1469 blieb. Die Anfänge einer Stadt sind für ihren Charakter entscheidend – mehr als die meisten Wechselfälle ihres späteren historischen Geschicks: Wiens erstes Werden enthält schon einige der wichtigsten Dominanten seiner Art und Entwicklung: den kolonisatorischen Grundzug, die weit vorgeschobene Grenz- und Randlage, die eigentümliche Verspätung der Entwicklung gegenüber vergleichbaren Städten, die enge Beziehung zu weittragenden militärischen Operationen, die beherrschende Rolle der Fürsten, ja sogar eine gewisse Passivität. Nichts davon ist dem

Die Säulenvorhalle des von 1873 bis 1884 von Theophil Hansen erbauten Parlamentsgebäudes mit dem Standbild der Pallas Athene. Das frühere „Reichsratsgebäude" dient heute für die gesetzgebenden Versammlungen des Nationalrates und des Bundesrates. Theodor Kundmann schuf dazu von 1898–1902 aus weißem Marmor die prächtige Brunnenanlage mit dem Standbild der Pallas Athene.

Portico of Parliament House and statue of Pallas Athene. The former seat of the Imperial Diet, built by Theophil Hansen between 1873 and 1884, today houses the Upper and Lower Federal Chambers. Theodor Kundmann created the magnificent white marble fountain (1898–1902) with the statue of Pallas Athene.

Le narthex à colonnes du Parlement construit de 1873 à 1884 par Théophile Hansen, avec la statue d'Athéna. L'ancien palais du Reichstag abrite le Parlement autrichien et les assemblées législatives fédérales et provinciales. La magnifique fontaine et la statue d'Athéna en marbre blanc sont dues à Théodore Kundmann et datent de 1898 à 1902.

Blick von der Parlamentsrampe auf das Rathaus. Der Vordergrund dieses Bildes wird beherrscht von der Anlage des Pallas-Athene-Brunnens, der 1898 bis 1902 von Kundmann errichtet wurde.

View of the City Hall from the ramp in front of the Parliament. The foreground is dominated by the Pallas Athene Fountain built in 1898 to 1902 by Kundmann.

L'Hotel de Ville, vue prise de la rampe du Parlement. L'avant-plan est dominé par la fontaine dédiée à Athéna, érigée de 1898 à 1902 par Kundmann.

Gesamtbestand Wiens wieder verlorengegangen; die Motive des Anhebens wiederholen sich in der „Durchführung" der stadthistorischen Symphonie – wenn natürlich auch im Lauf der Geschichte neue und Nebenmotive bis zur vollen Entfaltung des Phänomens dazutreten.

Heute, da Wien die „letzte" westliche Großstadt vor der Grenze des sowjetischen Staatensystems ist, zeigt sich von neuem, daß die Bedingnisse – Beschränkungen wie Aussichten – der Grenzlage in den Geschicken Wiens immer wieder durchschlagen. Vorhanden waren sie auch, als Wien zwischen etwa 1700 und 1918 von außen gesehen die Zentralposition der Österreichisch-Ungarischen Monarchie einnahm. Denn auch damals lag es an einer Siedlungs-, an einer Sprach-, an einer Kulturgrenze, dies sogar in der Urbedeutung des Landbaus, der von der Binnengrenze gegen Ungarn, unweit östlich Wiens ab, vorwiegend im Latifundiensystem betrieben wurde. Und seit 1867 wurde zudem Wiens Stellung von dem ehrgeizigen, rasch emporstrebenden Budapest bestritten; es stellte sich immer deutlicher heraus, daß der östliche Nachbar – der eine Renaissance seiner eigenen übernationalen Reichsidee, des Apostolischen Königtums der Stephanskrone, erlebte – eben deshalb Wiens unverlierbares Erbe der römischen Kaiserherrlichkeit nicht teilte und für sich nicht anerkannte, so daß Wien, ohne es zu wollen, im Vorstellungsbild solchen Widerstands Grenzstadt des untergegangenen Imperium Romanum blieb. Seit dem sogenannten „Ausgleich" mit Ungarn von 1867, der den Einheitsstaat wieder teilte und die beiden Reichshälften nur durch Personal- und eine beschränkte Real-Union verband, war Wien auch staatsrechtlich nicht mehr Reichszentrale, wenngleich es noch den Vorrang behielt: durch seine kulturelle Anziehungs- und Ausstrahlungskraft und durch das Privileg, Residenz des gemeinsamen Monarchen zu sein.

So ist Wien nur für eine kurze Spanne seiner langen Geschichte aus der Grenzsituation befreit gewesen. Wie die Stadt am Anfang vorgeschobenes Bollwerk militärisch-bäuerlicher Expansion gegen die Ungarn war, blieb sie später Grenzfestung des Römischen Reiches, wenn auch ihr militärisches Potential lange nicht aktiviert zu werden brauchte. Es ist sozusagen ein Wiener Paradoxon, daß der Verteidigungsfall gerade durch ein Ereignis eintrat, das Wien mit einem Mal vom Rand in die Mitte hätte versetzen müssen: durch das Erlöschen des in Ungarn und Böhmen herrschenden jagellonischen Hauses und somit den Heimfall dieser Länder auf Grund der Erbverträge von 1515 an Habsburg. Aber dieses Erlöschen wurde eben durch den Tod König Ludwigs II. auf der Flucht nach der verlorenen Entscheidungsschlacht von Mohacs herbeigeführt – und von nun ab war Wien Frontstadt unaufhörlicher Kämpfe gegen die Türken, die Ungarn bis auf einen schmalen Grenzstreifen besetzt hielten.

Schon im Jahre 1529 wurde Wien zum erstenmal von den Türken vergeblich berannt. Während aber diese tödliche Bedrohung nur eine Episode im permanenten Türkenkrieg blieb, endete die Belagerung von 1683 in einer entscheidenden Feldschlacht. Der Sieg des Ersatzheeres wurde zum historischen Wendepunkt, von nicht geringerem Rang als die anderen abendländischen Kampfentscheidungen gegen den Ansturm asiatischer Heerscharen: die Hunnenschlacht auf den Katalaunischen Feldern 451, die Araberschlacht bei Poitiers 732, die Ungarnschlacht auf dem Lechfeld 955. Doch hätte dieses strategische Ereignis ohne die Behauptung des festen Platzes Wien niemals stattfinden können: Die Niederlage der Türken ist nicht zuletzt durch ihre ungünstige Position, also durch ihr Festklammern an die Stadt und deren Landschaft, verursacht worden. Das Ausharren der Verteidiger unter Starhemberg, Kaplirs und Bürgermeister Liebenberg war eine Voraussetzung des Sieges, an dem somit die wehrhaften Bürger und Studenten einen entscheidenden Anteil hatten.

Hier zeigt sich mit besonderer Eindringlichkeit die Bedeutung dessen, was wir die „enge Beziehung Wiens zu weittragenden militärischen Operationen" genannt haben: Es ist kein Zweifel, daß weder der erste noch der zweite Osmanenzug gegen Wien etwa nur Raub- und Beutezwecken diente; beide Unternehmungen zielten auf die Unterwerfung der europäischen Mitte und die Zerstörung des römischen Kaisertums, und ebensowenig kann bezweifelt werden, daß der Fall der Festung Wien den Untergang des Reiches besiegelt hätte. Die Zeitgenossen wußten das: Die Blicke des Abendlandes waren auf Wien gerichtet, und daß der Tag der Befreiung Wiens, der Fürbitte Marias zugeschrieben, von Innozenz XI. zum Dank für die ganze Kirche zum Festtag erhoben wurde (Mariä Namen), bezeugt, daß die Bedeutung dieses Geschehnisses für die gesamte Christenheit von eben dieser genau verstanden wurde. Und ebenso großräumig entworfen, über das taktische Zurückschlagen weit hinausgehend, waren auch die Operationen, die nun einsetzten und deren Basis Wien – als Planungs- und Organisationszentrum – wurde: die Rückeroberung des Donauraumes und des europäischen Südostens, die allerdings unvollendet blieb. Dennoch war es ein geschichtswendender, strategischer Vorgang, der sich da von Wien aus entrollte.

Schon der Übergang der Herrschaft über die österreichischen Lande an die Habsburger zeigte Wien als Zentrum der Operationen. Niederlage und Tod Ottokars II. von Böhmen aus dem Haus der Premysliden bei Dürnkrut 1278 im zweiten Feldzug gegen König Rudolf bedeuteten das Scheitern eines großen Raumordnungsplans: der Errichtung eines zwischeneuropäischen Reiches von der Ostsee bis zur Adria mit dem Kernstück Böhmen, das dem Kontinent ein anderes Gesicht gegeben und Wien vermutlich nie über das Maß einer Provinzstadt hätte hinauswachsen lassen. Sowohl Rudolf wie Ottokar erkannten die strategische Schlüsselstellung Wiens auch in diesem Entscheidungskampf; das bekundeten sie durch ihre Bemühungen, die führenden Familien und den Rat für sich zu gewinnen – Rudolf versuchte dies mit Hilfe großer Privilegien. Wer sich auf Wien stützen konnte, hatte die Vorentscheidung der günstigsten Position für sich.

In den Streitigkeiten Kaiser Friedrichs III. mit Matthias Corvinus ging es ebenfalls um die Verhinderung einer Großmachtbildung an des Reiches Ostgrenze, die zur Minderung der habsburgischen Hausmacht und des Imperium Romanum hätte ausschlagen müssen. Daß Friedrich III. die Wahl des Ungarnkönigs Matthias zum König von Böhmen nach dem Tod Georgs von Podebrad durchkreuzte, war der Grund des Krieges. Er konzentrierte sich bezeichnenderweise auf den Kampf um Wien, das einer Belagerung erfolgreich widerstand, aber dann gegen den Willen des Kaisers unter dem Druck einer Wirtschaftsblockade am 1. Juni 1485 die Übergabe an König Matthias vollzog. Die Ungarnherrschaft in Wien dauerte indes nur fünf Jahre und hat keine tieferen Spuren hinterlassen. Anton Böhm

Vom alten Burgtheater

Unser altes Burgtheater! Es war für mich und wird es gewiß für viele gewesen sein, ein Quell edler Freude, ein Bildungsmittel ohnegleichen. Ihm verdanke ich die Grundlage zu meiner ästhetischen Erziehung, die damals begann und heute noch lange nicht beendet ist.

Die Glückseligkeit, in die mich die Vorstellung versetzte, wurde immer etwas getrübt durch das Fallen des Vorhangs nach den Aktschlüssen. Es riß mich aus der Bezauberung und mahnte, daß ein Teil der mir so köstlichen Stunden vorüber sei.

Der Nachgenuß aber war etwas Vollkommenes. Ich wandelte einher wie auf dem Kothurn, ja, es kam mir in die Füße! Ich schritt gleich den hochgestellten Persönlichkeiten bei feierlichen Aufzügen auf der Bühne, heroische Gefühle erfüllten mein Herz, der Wille zum Leiden erwachte in seiner ganzen Stärke und mit ihm die brennende Sehnsucht nach einem großartigen Martyrium.

Neben den klassischen Stücken waren aber die Schau- und Lustspiele, die bei den Meinen besonders in Gnaden standen, auch mir sehr willkommen. Zwei Damen, zwei dramatische Schriftstellerinnen, gelangten um jene Zeit sehr oft zu Worte. Die Prinzessin Amalie von Sachsen mit dem „Oheim", dem „Landwirt", der „Stieftochter", Frau von Weißenthurn mit zahlreichen Dramen. Die Erinnerung an sie ist erloschen; ich entsinne mich nur dunkel des einen, das „Pauline" hieß, und in dem Luise Neumann die Hauptrolle spielte.

„Ach, die liebe, gute Frau von Weißenthurn, wenn wir die nicht hätten!" sagte Börne, und sie hätte erwidern dürfen: „Ach, der liebe gute Börne, der destruktive Kritik so meisterhaft übt – wenn ich den nicht hätte! Er nimmt mich mit in seine Vielleicht-Unsterblichkeit; wer würde ohne ihn nach einem halben Jahrhundert noch etwas wissen von meinem Schauspiel ‚Agnes van der Lille' und von meinem Lustspiel ‚Beschämte Eifersucht'?"

Der Winter 1842 brachte dem Burgtheater drei Ereignisse: die erste Aufführung von Friedrich Halms „Der Sohn der Wildnis", den Abschied Johannas von Weißenthurn vom Burgtheater, dem sie durch zweiundfünfzig Jahre angehört hatte, die Feier von Korns vierzigjährigem „Dienstjubiläum".

Dem „Sohn der Wildnis" stand ich ratlos gegenüber. Das „romantische Drama" feierte Triumphe, ich hörte nur Aussprüche des Lobes und der Bewunderung, während mir einige Szenen geradezu Pein verursachten. Einen großen Teil der Schuld daran schob ich Julie Rettich, der Darstellerin der Parthenia, zu. Der edlen Frau und Künstlerin fehlte der Zauber der Anmut. Wenn sie, im zweiten Akt von den wilden Tektosagen gefangengenommen, sich hinsetzte und Kränze wand, entwickelte sie diese unwahrscheinliche Tätigkeit mit verletzend eckigen Bewegungen. Man mußte wirklich ein Barbarenhäuptling sein, um nicht Anstoß an ihnen zu nehmen. – Aber dann ... Als Ingomar, angewidert durch die Niedertracht des Kulturvolkes, dessen Genosse er geworden, sich losreißt, um in seine Wildnis zurückzukehren, holt Parthenia sein ihr vertrautes Eigentum, sein Schwert, herbei. – Er will es ihr abnehmen. – Nein. Sie wird es tragen – ihm nach.

„Wohlan denn", sagt er, „bis zum Markte . . ."

Gar oft haben wir den „Sohn der Wildnis" aufführen gesehen, und jedesmal brach an dieser Stelle des Gedichtes jubelvoller Beifall los, in den mein Vater einstimmte und auch ich aus allen meinen Kräften. Leid tat mir nur, daß der Sieg des Barbaren über die unerträglich nörgelnde Griechin kein vollständiger war. Sein Bärenfell hätte er wieder umhängen, in seine Wälder hätte er die merkwürdigerweise Geliebte mitnehmen und wieder Häuptling seiner Tektosagen werden sollen, ein Feind und Schrecken der verruchten Stadt Massalia, nicht ihr friedlicher Bürger. So meinte ich als Kind, und bei der Meinung bin ich geblieben und habe sie viele Jahre später dem Dichter mitgeteilt, der mein treuer Freund und Lehrer geworden ist.

Er hat mir nicht ganz unrecht gegeben.

Der Abschied Frau von Weißenthurns von der Stätte ihrer langjährigen Tätigkeit gestaltete sich zu einem Burgtheater-Familienfest. Unter fast ununterbrochenem, zustimmendem Gemurmel des Publikums und so vielem Applaus, als sich halbwegs passend anbringen ließ, wurden zwei von der dichtenden Schauspielerin verfaßte Stücke aufgeführt. Dann, stürmisch gerufen, trat sie an die Rampe und erzählte umständlich ihren ganzen Lebenslauf. Sehr andächtig hörte man ihr zu, und als sie mit den Worten innigen Dankes schloß, erntete sie Dank, sehr warmen, aber völlig platonischen. Kein Lorbeerregen, keine Auffahrt von Blumenarrangements; nichts von fanatischen Huldigungen, die jetzt unseren Bühnengrößen dargebracht werden und – wer weiß – vielleicht einen Mangel verbergen. Gibt man heute so viel, weil man morgen nichts mehr zu geben hätte?

„Dableiben! Dableiben!" riefen wir alle, ehe der Vorhang sich senkte, der guten Frau von Weißenthurn zu, der es nicht einfiel, fortzugehen. Wir sahen sie gar oft noch im dritten Stock des Burgtheaters in der Schauspielerloge sitzen. Wenn eines ihrer Werke aufgeführt wurde, fehlte sie nie und belohnte bei den rührenden Stellen ihre ehemaligen Kollegen durch strömende Tränen für ihr vorzügliches Spiel.

Wie das Jubiläum Korns gefeiert wurde, davon vermag ich nicht mehr Rechenschaft zu geben; ich weiß nur, daß wir erschraken, als wir erfuhren, er gehöre dem Burgtheater seit vierzig Jahren an. Da hatten unsere Großmütter schon für ihn geschwärmt, und er wäre ein alter Mann? . . . Und neulich erst hatte er uns so gut gefallen als Admiral in den „Fesseln", und Fritzi war tief gekränkt gewesen, als Papa sagte: „Der arme Korn hat keine Stimme mehr." Und nun mußte man's ganz natürlich finden, daß er keine Stimme mehr hatte, dieser bejahrte Liebling. Übrigens – Liebling blieb er, trotz seiner Heiserkeit, die sich nicht mehr geben wollte. Löwe war ja herrlich und kam uns in manchen Rollen, zum Beispiel als Siegfried in Raupachs „Nibelungen", wie ein Halbgott vor und Fichtner stets wie das Urbild der Liebenswürdigkeit. Auch Lucas blieb der Feinste, der unumschränkte Beherrscher schöner Form, die nur das sichtbar Gewordene des schönsten geistigen Inhalts sein konnte. Korn blieb der siegreichste Herzensbezwinger.

Marie von Ebner-Eschenbach

Frühling über Wien

Und abends ... der Mond glänzt schon wie der polierte Fingernagel einer schönen Frau ... und abends sitzen die Amseln auf den Giebeln der hohen Häuser und lassen ihr schallendes Lied in die engen Lichtschächte klirren, in die hinaus die Küchenfenster offen sind, aufgetan wie die Flügel ärmlicher Altäre in kleinen Landkirchen. Da stehen dann die Mädchen, die braunen, schwarzen, roten und blonden, und nehmen das Lied in ihre Brust. Denn sie fühlen es: irgendwie geschieht der Frühling auch in der Stadt. Es ist, als würden die Steine wachsen, während der blaue Föhn von den sanften Hängen des Wienerwaldes rinnt; es ist, als würden sich die Schornsteine höher recken, während der Himmel sich mit einer blassen Haut überzieht. Die Nerven zittern und beben und die Seele wird dunkel und seltsam schwer. Ahnung wird laut und Gefühle und Bilder geschehen.

Bilder ... Die Lichter im Donaukanal haben jetzt einen anderen Glanz als im Herbst und Sommer: sie wirken stärker, reiner. Und irgendwo muß es auch schon blühen, süß und kraftvoll und drängend, im Cottage draußen, im Prater und in fernen Gärten. Denn die Luft ist stark und duftet und macht schwindlig. So schwindlig. Sonderbar: daß man davon mitunter sterbensmüde wird. Wie nahe sind doch diese Gefühle einander: Sehnsucht und Tod. Ein Auflösen, ein Fortgleiten von sich selbst, ein schwankendes Hingehen und Hinspüren in jenes Ahnungsvolle, das aus den Träumen kommt, mit nichts vergleichbar, unfaßbar wie die Melodie des kaum merklichen Windes. Eine leidvolle, herbe Selbststeigerung an der Grenze des Unterbewußten, zwischen Wissen und Schlaf, vom Blut und von den verwirrten, heißen Gedanken getrieben. Ja, irgendwo muß es schon blühen, grell, bunt wie Feuer, würzige Düfte auswerfend.

Und am Sonntag wird man es auch sehen: die Stiefmütterchenfelder in Ottakring und Hernals, weit, köstlich, als wäre die Erde mit Schmetterlingen besetzt, das Feuer des Hartriegels am Leopoldsberg, herabschwebend zur roten Weingartenerde, die knospenden Kastanienalleen um den Konstantinhügel, an dem vorbei die letzten feschen „Zeugeln" zwischen den Autos zum Lusthaus im Prater und in die Krieau fahren, und die Krokusteppiche in den Wiesen der Parkanlagen. Und sitzt man erst unter einem Goldregenstrauch, der das Dottergelb der Sonne niederzuträufeln scheint, dann fehlt nichts mehr vom Frühling, der mit wildem, überschwenglichem Ungestüm in die Stadt hereinstürmt, die Häuser auslöscht und die Straßenbahnen und Autos vergessen läßt. Nichts ist mehr da um das eigene Herz, nur dieses große, erschütternde und in Verwirrung setzende Blühen, das sich auch dem Menschen mitteilt, die Muskeln dehnt, die Nerven empfindlich macht und zärtliche Wünsche erweckt. Die Frauen lächeln anders als im Winter und die Augen sagen sich du. Kinderwagen rollen wieder auf den Kieswegen, und im Park von Schönbrunn, angelehnt an eine der Götterstatuen, die sich in die Nischen der Laubwände bergen, kann es geschehen, daß man plötzlich das Rufen der Löwen aus dem Tiergarten hört, dunklen Urlaut, heiser verorgelndes Röcheln in das Erwachen ringsum, das sich in unzähligen Verwandlungen vollzieht: von der Geburt der Knospe bis zu ihrem flackernden Aufbruch, der mit lauten, lärmenden Farben geschieht, ein Hinauswollen über die zackigen Ränder, in denen sich das Leben in höchster Schönheit verbrennt, aufzehrt und fortgibt, weil jedes Ende immer wieder in einen Anfang mündet und so den ewigen Ring des Werdens schließt. Das lehrt uns das steigende Jahr.

Aber auch tiefer in die Stadt kehrt der Frühling ein: man sieht ihn am Ring und in den vielen Gassen und Straßen, die mit Bäumen gesäumt sind. Es ist, als wären lange, grüne Zeilen auf das Pflaster geschrieben, das wie ein Schild die Sonne widerwirft. Fährt man durch diese Alleen, dann wehen die vollen Blütenbäume wie weiße und rosa Schleier vor den blinkenden Fenstern und atmen süße Wohlgerüche aus. Linden träufeln ihren bezaubernden Duft in die aufatmenden Lungen und die Akazien streuen balsamschweren und betäubenden Weihrauch. Im Genuß dieses Empfanges versperrt sich das Ohr dem symphonischen Lärm des Verkehrs und Hastens, dem schrillen Konzert der warnenden Hupen und Räder, und wird die Seele flüchtig, die über all das Getöse aufsteigt in die unendlich dünne und silberne Bläue, zu den segelnden Wolken und den pfeilenden Schwalben, die die zwirndünnen Saiten ihres Fluges über den fließenden Himmel spannen. Alle Häuser und Engen haben ihre Härte verloren und das Dunkle, das den Dingen sonst anhaftet, ist aus der Stadt verbannt, übertönt von Duft, Farbe und Wärme.

Duft, Farbe und Wärme! Ein überirdischer Dreiklang scheint es zu sein, der wie Blau, Gold und Silber zusammenklingt und etwas wundersam Schwebendes und Reizvolles in unserem Gefühl hinterläßt. Und plötzlich merkt man, daß alles Wünschen größer ist, als es jegliche Erfüllung sein kann. Denn nichts steht still, alles verändert sich und ist in steter Bewegung, die Träume des Herzens, der Genuß, in dem man schon wieder nach Begierde verschmachtet, die ewige Wiederkehr von Empfang und Hingabe, Wachsen und Vergehen, dieses hinreißende und schmerzhaft bewegende Beispiel, das uns der Frühling gibt, von dem man überall ereilt wird, selbst in der Stadt, die ihm spärlicheren Raum schenkt als die Weite ringsum, die seligen Hügel des Wienerwaldes und die grünen Tiefen der Lobau, wo man an Sonntagen die Verliebten sieht, die Andächtigen und Geheimnishaften, die vor der Neugier der Stadt flüchten. Aber nun ist der Himmel über ihnen, eine große, weiche und seidene Fahne, die Veilchen- und Anemonenbeete sind um sie, die schleiernden Birken und die riesenhaften Kastanien, auf denen die rostroten Knospen wie Wachskerzen brennen. Und neigt sich die Sonne, klingt aus den Buschenschenken, in denen man abends, wenn die Sterne aufkommen, bei Windlichtern sitzt, leise Schrammelmusik, dann befällt einen so vieles, was der Frühling erregt und nährt: ein kleines bißchen Glück, ein wenig Schwermut und das quellentiefe Rauschen, Summen und Quälen der Wünsche, von denen man nachts erwacht, weil sich der Föhn warm und mit unzähligen Würzen gefüllt an die Fenster wirft.

Wochentags aber, wochentags abends – der Mond glänzt wie der polierte Fingernagel einer schönen Frau – sitzen die Amseln auf den Firsten der hohen Häuser und lassen ihr schallendes Lied in die engen Lichtschächte klirren, in die hinaus die Fenster offen sind, rechts und links aufgeschlagen wie alte Flügelaltäre am Land. Da stehen dann die Menschen, stehen, lauschen und warten... warten... Denn sie fühlen es deutlich: irgendwie geschieht der Frühling auch in der Stadt.

Herbert Strutz

Die alte Josefstadt

Die Josefstadt meiner Kindheit war nicht mehr jener vormärzliche Vorort, der den Basteien der Inneren Stadt, etwa vom Schottentor bis zum Burgtor, gegenüberlag. Mit den Befestigungen waren auch jene weithingedehnten Wiesenflächen verschwunden, die man in dieser Gegend das Josefstädter Glacis nannte. Als ich, ein kaum Fünfjähriger, mit dem Vater von der Vorstadt Unter den Weißgärbern in die Josefstadt übersiedelte, umgab bereits der breite, prächtige Gürtel der Ringstraße die Innere Stadt, die Monumentalbauten zwischen Alsergrund und Bellaria standen längst vollendet, und die herrlichen Gärten des Viertels um das neue Rathaus herum waren schon angelegt. Dem Kinde bot sich all die junge Pracht als das Gegebene dar, für Eltern und Großeltern jedoch war jedes Plätzchen des verwandelten Bodens voll der Beziehung auf das noch eben Gewesene, belebt von Erinnerungen und – bei allem Stolz auf den großstädtischen Aufschwung! – umwoben von der uneingestandenen Sehnsucht nach dem Vergangenen. Ihnen war ja noch auf dem Platze des heutigen Volksgartens die biedermeierische Fröhlichkeit und Eleganz des Paradeisgartls Wirklichkeit gewesen; die Allerältesten wollten sogar noch Beethoven, von seiner letzten Wohnung im Schwarzspanierhause über das Glacis der Stadt zuschreitend, begegnet sein; Grillparzer, Raimund und Nestroy, die Protagonisten des alten Burgtheaters, Bauernfeld und Schwind, sie bevölkerten noch die Erlebniswelt der Minderalten, wurden dem Zuhörenden in unzähligen Anekdoten an bestimmten Straßenkrümmungen, an gewissen Fenstern graugewordener Zinshäuser und an den Stammtischen altväterischer Gasthäuser förmlich wieder leibhaftig und erfüllten die ehrfurchtswillige Phantasie des Kindes mit dem verklärten Abglanz jener gemütlichen Heroenzeit Alt-Wiener Kultur, die uns heute wie ein idyllisches Märchen anmutet, obwohl auch sie bekümmert war durch weltumwälzende Kriege und verheerende Seuchen, durch Not und Unzufriedenheit der Völker und durch das verhängnisvolle Ränkespiel der Mächtigen.

War nun auch die Josefstadt, in der ich Kind war, nicht mehr jene, von der aus man, grünes Gelände überblickend, die Festungswälle, das vielgegiebelte Dachgedränge und in scheinbar engstem Nebeneinander die Türme der Inneren Stadt frei vor sich aufragen sah, so war sie doch ein Stück vorgroßstädtischer Zeit voll altmodischer Traulichkeit, voll der Beredtheit von Versunkenem und belebt von solcher Stimmung, als hätte die neue Zeit, als sie auch durch ihre abseitigen Gassen und Gäßchen schritt, es lächelnd auf ein nächstes Mal verschoben, hier gründlich Wandel zu schaffen. Und wenn heute der Mann nach soundso vielen Jahren die alten Gassen aufsucht, durch die er zur Schule gegangen, wenn er zu den Fenstern emporschaut, hinter deren Scheiben sich soviel eigenes Schicksal vollzogen hat, so will es ihm ein Glück scheinen, sagen zu dürfen, daß sich in jenen Gassen nur wenig, aber an den Wohnhäusern seiner Kindheit und Jugend fast gar nichts geändert hat. Und nahezu derselbe ist seit damals der Straßenzug geblieben, der sich von den Gründen der ehemaligen Alserkaserne bis zum Getreidemarkt erstreckt. Mag er heute auch in seinen einzelnen Abschnitten anders benannt sein als damals, die schmalen, dunkelumgitterten Vorgärten sind noch immer den grauen, durch weiße Fensterrahmen so freundlich belebten Fassaden der alten Bürger- und Adelshäuser vornehm-gemütlich vorgelagert... Da ist zum Beispiel die Schmidgasse, die am Geographischen Institut vorüber die Lenaugasse überquert, dann über die Langegasse zur Maria-Treu-Gasse hinaufführt und durch diese in den ehrwürdig geräumigen Platz vor der Piaristenkirche mündet. Da ragt, von zwei Barocktürmen überhöht, die breite Front des Gotteshauses mit der in der Frühsonne leuchtenden Inschrift: VIRGO FIDELIS AVE COELESTIS MATER AMORIS. Da stehen in düsterem und dennoch so anheimelndem Grau zur linken Hand die Volksschule, zur rechten das Gymnasium. Piaristenplatz, Ziel des täglichen Schulweges durch zwölf Jahre eines Knabenlebens! An Wintermorgen, wenn die rötlichflackernden Gasflammen der spärlichen Laternen die zögernde Nacht nur mühsam durchdrangen, ging es da hinauf, an trüb erleuchteten Vorstadtläden vorüber. Schattenhaft begegneten andere Fußgänger, und aus der finsteren Kirche wimmerte fröstelnd die Orgel ein unendliches, monotones Segenlied zu dem dünnen Gesang einzelner Altweiberstimmen. Aber vom Februar an wurden die Morgen früher und die Tage lichter. Da spiegelte das Eis der Pfützen und Kotfurchen blaue, schmale Himmelsstreifen zwischen grauen Dachsimsen, und die goldenen Turmknäufe der Piaristenkirche glühten in orangeroter Sonne. Und zwölfmal kam auch der Frühling desselben Weges gegangen. Vom Rathauspark herauf, aus den Vorgärten der Lastenstraße, wehten seine laubfrischen Gerüche, und Antwort gaben ihnen die Düfte der unsichtbaren Gärten, die damals von weiten Vierecken niederer Häuser umschlossen wurden. Aus dämmerigen Flurwölbungen drangen sie, über graue Schindeldächer und schwarzbraune Ziegelfirste kamen sie geflogen und waren am fühlbarsten bei Nacht. Nichts störte da die nahezu mittelalterliche Idylle der abseitigen Gassen und Gäßchen. Das Pflaster hallte unter den Schritten des einschichtigen Heimgängers, selten begegnete ein Einspänner, und nur aus kleinen Bierschänken klang auch noch nach Mitternacht hier und dort eine Zither, ein verstimmtes Klavier oder eine Ziehharmonika und Geige.

Freilich, die Josefstadt von damals hatte auch noch andere, ansehnlichere Gaststätten, und fast sie alle verfügten über größere oder kleinere Gärten, über ein paar Kastanien oder Linden, unter deren Zweigen schwere, runde Holztische, mit weißen oder roten Tüchern bebreitet, aufgestellt waren. Da saß behäbig bei Gaslaternen die bürgerliche Wohlanständigkeit an Stammtischen, hier träumte dem blauen Rauch der billigen Zigarre nach der Einsame, hier lächelte im Dämmer eines abseitigen Gartenwinkels die Schüchternheit junger Liebe. Aber das vornehmste Restaurant der alten Vorstadt war der Riedhof in der Schlösselgasse. Da fuhren nach dem Theater Equipagen und Fiaker vor, schöne stolze Frauen in Abendmänteln entstiegen den Coupés, Brillanten blitzten aus dem Goldschatten hoher Frisuren, und den federnden Schritt schlanker Kavaliersgestalten begleitete die leise silberne Musik der Sporen... Josefstadt, Kindheit, Heimat! Mit Worten ist dieser Erlebnisdreiklang nicht nachzubilden. Und wär' er dies selbst, es ist zuviel des Geräusches in der Welt, als daß gerade er vernehmlich würde. Aber noch redet die alte Vorstadt ja selbst. Noch gibt es hier und dort in ihr altväterische Häuschen, deren Torflure mitten in das Märchen verträumter Gartenhöfe führen. Sandsteinfiguren stehen noch bemoost und verwittert unter uralten Bäumen. Windschief gewordene Gartenhäuser lehnen noch hie und da baufällig an den Feuermauern zudringlicher Zinskasernen, und es sind noch unkrautüberwucherte Wege genug, die, ehemals zierlich bekiest und an Taxushecken vorüber, durch verwachsene Lattentüren hinaus in die Freiheit der Wiesen und Felder führten. Die

Die Neue Universität am Dr.-Karl-Lueger-Ring. Auch dieser Ringstraßenbau im Stil der italienischen Renaissance wurde 1873–83 erbaut. Sein Schöpfer war Heinrich Ferstel. Heute findet der Universitätsbetrieb in dem großen Bauwerk längst nicht mehr Raum genug, und viele Institute der Universität sind in anderen Teilen der Stadt untergebracht.

The New University on Dr Karl Lueger Ring, built 1873–1883 in the Italian Renaissance style by Heinrich Ferstel. The building is today no longer large enough for the various departments of the university which have been transfered to other parts of the city.

La Nouvelle Université, Dr Karl Lueger Ring. Ce bâtiment en style de la Renaissance italienne fut construit de 1873 à 1883. Il est dû à Heinrich Ferstel. De nos jours l'Université est trop petite et de nombreuses Facultés furent transférées dans d'autres quartiers de la ville.

Blick vom Rathaus über das Burgtheater und die Innere Stadt. Das Burgtheater ist eine der ältesten ständigen Bühnen der Welt. Als „Theater nächst der Burg" entstand es 1741 am Michaelerplatz. Der heutige Bau am Ring wurde unter den Baumeistern Semper und Hasenauer 1888 erbaut.

View from the City Hall toward the Burgtheater and the inner city. The Burgtheater is one of the oldest resident theatres in the world and was founded in 1741 as "The Theatre at the Palace" on the Michaelerplatz. The present building on the Ring was built by Semper and Hasenauer in 1888.

Vue prise de l'Hôtel de Ville en direction du Burgtheater et du centre de Vienne. Le Burgtheater compte parmi les plus anciens théâtres du monde où des représentations ont lieu en permanence. Le « Theater nächst der Burg » se trouvait d'abord Michaelerplatz où il existait depuis 1741. Le nouveau théâtre du Ring fut construit en 1888 par les architectes Semper et Hasenauer.

hofwärtigen Fronten mancher Häuser zeugen noch von dem italienischen Bauge-
schmack eines früheren Jahrhunderts. Säulengetragene Arkaden, oft mehrere Stock-
werke übereinander, schmücken sie, und die kinderreiche Armut, von der solche
Häuser meist bewohnt sind, versetzt unwillkürlich in ferne, viel südlichere
Gegenden. Urwienerisch aber ist der Werkelmann, der auch heute noch die Kinder
um sich versammelt, und der Geiger, den ein Ziehharmonikaspieler zu alten
Weisen und längst verjährten Gassenhauern begleitet . . . Die liebste und traulichste
Erscheinung unter den Straßenverkäufern und Hausierern war aber doch die
Lavendelfrau, die ihr Anbot himmelblauer, zartduftender Blüten nach einer ur-
alten, hochsommerschläfrigen Melodie in den Hof sang: „Kaufts an Lavendl! Drei
Kreuzer das Büscherl Lavendl! An Lavendl kaufts!"

Anton Wildgans

Die Strudlhofstiege

Die Strudlhofstiege im Alsergrund,
IX. Bezirk. Durch einen anmutig angelegten doppelten Aufgang verbindet
dieser Stiegenbau zwei Stadtgebiete im
9. Gemeindebezirk. Der Dichter
Heimito von Doderer verschaffte ihr
mit seinem Roman „Die Strudlhofstiege" literarischen Dauerruhm.

The "Strudlhof Steps" in Alsergrund.
These graceful double stairs connect
two quarters in the ninth City District.
In his novel "Die Strudlhofstiege"
the poet and writer Heimito von
Doderer gave it literary fame.

La Strudlhofstiege dans le quartier de
l'Alsergrund, IX\ème arrondissement.
Cet escalier aux formes élégantes relie
deux quartiers du IX\ème arrondissement. La postérité littéraire lui fut
conférée par le roman de l'écrivain
Heimito von Doderer «Die Strudlhofstiege».

Wenn die Blätter auf den Stufen liegen
herbstlich atmet aus den alten Stiegen,
was vor Zeiten über sie gegangen.
Mond darin sich zweie dicht umfangen
hielten, leichte Schuh und schwere Tritte,
die bemooste Vase in der Mitte
überdauert Jahre zwischen Kriegen.
Viel ist hingesunken uns zur Trauer
und das Schöne zeigt die kleinste Dauer.

Heimito von Doderer

Abschiedsbrief an einen Wiener
böhmischen Schuhmachermeister

Sehr geehrter Herr Antonin!

Sie müssen entschuldigen, daß ich den Weg in die Öffentlichkeit wähle, um Ihnen einen Brief zu schreiben. Niemand kennt Ihre Adresse und niemand weiß, wo Sie zu finden sind. Der Meister, der nach Ihnen Ihre Schuhmacherwerkstätte bezog, hat nach einem halben Jahr seine Wirkungsstätte, an der Sie durch Jahrzehnte tätig waren, wieder verlassen. Dann stand Ihr Geschäft lange leer, und die Scheiben der Auslagen blickten wie blinde Augen auf das gegenüberliegende Lobkowitzpalais. Erst vor kurzem wurde Ihr Geschäftslokal neuerlich „besiedelt". Aber von der neuen Firma weiß natürlich erst recht niemand die Anschrift Ihrer Wohnung, in der Sie Ihren Lebensabend verbringen. So ließ die Unmöglichkeit, Ihre Adresse zu finden, in mir den Entschluß reifen, Ihnen endlich auf diesem Wege zu schreiben.

Vielleicht werden Sie, sehr geehrter Herr Antonin, verwundert fragen, warum ich Ihnen denn überhaupt einen Brief schreibe, noch dazu in aller Öffentlichkeit? Dies hat so seine verschiedenen Hintergründe. Erstens ist es nur selbstverständlich, daß Ihnen öffentlich der Dank ausgesprochen wird für alle die schönen Schuhe, die Sie durch Jahrzehnte Ihren Kunden nach Maß verfertigten, Schuhe, die sehr schön, sehr schlicht, sehr einfach, aber eben deshalb sehr elegant aussahen, aber ungeeignet waren, von Snobs und Neureichen getragen zu werden. Es ist ferner selbstverständlich, daß Ihnen öffentlich der Dank ausgesprochen wird für alle Anhänglichkeit, die Sie Ihren Kunden bewahrten. Es war recht schwer, Ihre Gunst zu erringen, es war schwer und bedurfte einer guten Empfehlung, um in den Kreis Ihrer Kunden aufgenommen zu werden. Aber wer einmal Ihr Kunde war, der blieb Ihnen treu und bestellte sich von weiß Gott wo seine Schuhe bei Ihnen, ohne neue Maße anzugeben. Jeder Kunde, der Ihre Schuhe trug, blieb Ihnen treu, denn wer Ihre Schuhe trug, den drückte schon zu Lebzeiten kein Schuh.

Aber noch aus einem zweiten Grunde schreibe ich Ihnen diesen Brief. Denn je länger Sie nicht mehr in Ihrem Geschäft anzutreffen sind, desto mehr komme ich darauf, daß nicht nur ein Stück Wien mit Ihnen verschwunden ist, sondern daß sich das Antlitz Wiens grundlegend dadurch geändert hat. Sie werden jetzt recht verwundert sein, sehr geehrter Herr Antonin, und lächelnd meine Behauptung als Marotte abwehren. Aber ich werde Ihnen gleich beweisen, daß ich recht habe.

Sehen Sie, sehr geehrter Herr Antonin, viele Menschen, besonders Ausländer, wollen es nicht glauben, daß sich Wien verändert hat. Für diese ist Wien immer noch eine heimliche Kaiserstadt, in deren Prater jeden Frühling wieder die Bäume blühen, deren Burgtheater so gut ist wie in alten Zeiten, deren Oper, deren Museen dem Auge und dem Gehör Genüsse bieten, die sonst keine Stadt bieten kann. Das ist alles richtig. Äußerlich hat sich Wien vielleicht wirklich nicht viel geändert, aber innerlich, da hat es sich gegenüber den letzten zwanzig, gar gegenüber den letzten fünfzig Jahren völlig verwandelt. Und dies „nur", weil Sie, verehrter Herr Antonin, nicht mehr tätig sind, weil Sie sich vom aktiven Leben zurückgezogen haben. Aber nicht nur Sie, sondern Tausende von anderen „Antonins". Und dies eben hat

einen völligen Strukturwandel der alten Kaiserstadt nach sich gezogen. Die Plattform, auf der das jetzige „Große Wiener Welttheater" abrollen kann, ist eine ganz
andere geworden, als sie es einstmals war.

Denn verschwunden sind aus Wien die böhmischen Schuhmachermeister, die
böhmischen Schneider, die so fleißig und unermüdlich vom frühesten Morgen bis
in die späteste Nacht herrliche Anzüge hervorzauberten und mit ihnen die Blößen
der Menschen derart bedeckten, daß aus Menschen „Leute" wurden. Verschwunden
sind aus Wien auch die böhmischen Köchinnen, die jahrzehntelang bei ihren Herrschaften dienten, mit ihnen weinten, mit ihnen lachten, sie tyrannisierten und durch
ihre Kochkünste (es waren noch wirkliche Kochkünste) unweigerlich dazu bei-
trugen, daß alle Familienmitglieder über kurz oder lang ihre „Figur" verloren und
Abonnenten für Karlsbad wurden. (Unvergeßlich dieser Tafelspitz mit Apfelkren,
unvergeßlich diese Germknödel, unvergeßlich diese Mehlspeisen.) Das heutige Wien
hat nur noch wenig übrig für das Kochen als Kunst. Es ist nur zu verständlich. Denn
Frauen, die ins Büro hasten und abends todmüde nach Hause kommen, können für
ihren Mann, ihre Kinder höchstens noch Nahrungsmittel herbeischaffen, aber keine
edlen Genüsse des Gaumens mehr. Und die Männer, denen man diese Genüsse
immer mehr vorenthält, verlieren natürlich nicht nur die Freude am Essen, sondern
vor allem auch die Gabe, feine Nuancen zwischen den einzelnen Gerichten zu
unterscheiden.

Verschwunden sind aus Wien aber auch die böhmischen Diener in den Ämtern, meist
ehemalige längerdienende Unteroffiziere, die sich immer als „Amt" ausgaben. („Was
wünscht der Herr?") – „Ich möchte zum Herrn Minister." – „Leider unmöglich,
denn wir haben heute keine Sprechstunde.") Verschwunden sind aus den Büros,
den Geschäften diese listigen, mit Humor begabten Diener, die stets zu Ge-
fälligkeiten bereit waren, verschwunden sind aus den Häusern die böhmischen
Hausmeister.

Verschwunden sind aus Wien überhaupt die „Böhm". Wien ohne Tschechen wäre
noch vor fünfzig Jahren undenkbar gewesen. Heute kann man in Wien kaum
noch böhmisch reden. (Nur der Friseur Jaro Pikhart in der Habsburgergasse
spricht es noch – Gott erhalte ihn noch lange.) Im zehnten Wiener Gemeindebezirk, in dem man einst kaum ein deutsches Wort hörte, ist jeder böhmische
Laut verschwunden. Die Vorschrift für die Wiener Polizisten, daß sie Böhmisch
– soweit es zum Dienstgebrauch notwendig sei – beherrschen müssen, ist längst
nicht mehr gültig.

Das war ja auch so schön bei Ihnen, sehr geehrter Herr Antonin, daß man bei
Ihnen noch – wie im alten Wien, böhmisch reden konnte. Freilich, die Bestellungen
gab man deutsch auf, aber dann plauderte man böhmisch, eine gute halbe Stunde.
Kam ein anderer Kunde, der nicht Böhmisch konnte, sprachen Sie natürlich deutsch
mit ihm. Es war wie in der alten Armee. Die Kommandosprache, die Verständi-
gungssprache war Deutsch, die Regimentssprache war Böhmisch. Und wie schön
konnten Sie in Ihrem Böhmisch von der alten Zeit erzählen, von Ihren Kunden,
lustige und traurige Geschehnisse. Wie lustig war zum Beispiel die Geschichte von
dem Herrn (er war natürlich kein „Herr"), der Sie nach dem „Anslus" besuchte
und ein paar Stiefel zum – Doppeln brachte. Stiefel und Doppeln! So etwas war
Ihnen noch nicht vorgekommen. Und unter verhaltenem Lachen haben Sie den
Herrn (er war wirklich kein „Herr") hinauskomplimentiert, indem Sie ihm erklär-
ten, daß man in Ihren Stiefeln nur reiten, aber nicht marschieren könne. Aber erst als

dieser „Herr" wieder aus Ihrem Laden verschwunden war, war Ihnen zum Bewußtsein gekommen, was für Leute in Österreich jetzt regierten.

Oder wie lustig war die Geschichte von jenem Lehrbuben, der Ihnen sagte, daß ein Kunde „gelbe Schuhe" bestellt habe. Der arme Lehrbub! Er wollte absolut nicht begreifen, als Sie ihn fragten, welches „Gelb" denn der Herr bestellt habe. Der Lehrbub hatte nicht mehr in der alten Armee gedient und wußte nichts mehr von der Vielfalt der Farben. Für ihn war Gelb eben Gelb. Er hatte nie gelernt, welches Regiment schwefelgelbe und welches kaisergelbe Aufschläge trug. Gott sei Dank hatte der Lehrbub endlich gesagt, welcher Herr diese Schuhe bestellt hatte, und dann wußten Sie endlich, daß derselbe wie immer tabakfarbene Schuhe geliefert haben wollte.

Denn Sie kannten diesen Herrn natürlich, denn er war ja nicht nur jahrelang Ihr Kunde gewesen, sondern hatte auch noch mit Ihnen beim selben Dragonerregiment gedient. Ach ja, dieser Dienst bei der alten Armee! Was konnten Sie da für nette Geschichten erzählen aus den drei Friedensdienst- und vier Kriegsdienstjahren. Schließlich waren Sie Wachtmeister gewesen, k. u. k. Wachtmeister bei den Dragonern. Es war ein sogenanntes „gutes" Dragonerregiment gewesen, und Sie waren immer besonders stolz, bei diesem „guten Regiment" gedient zu haben. Wenn Sie von jemand etwas ganz Geringschätziges sagen wollten, dann sagten Sie nur: „Bitte schön, der war ja auch Rittmeister im Dragonerregiment Nummer soundso, was doch bekanntlich war ain nicht so gutes Dragonerregiment." Ach, wer weiß heute noch, welche Dragonerregimenter der alten Monarchie zu den „guten" oder zu den „nicht so guten" zählten. Wobei diese Einreihung gar nichts mit einer militärischen Wertung zu tun hatte. Aber dies der heutigen Generation zu erklären ist ja hoffnungslos. Wer es weiß, der weiß es, und wer es nicht weiß, wird diesen Unterschied nie begreifen.

Vorbei, alles vorbei.

Aber nicht nur die „Böhm" sind ja aus Wien verschwunden, sondern auch die „Randlböhm", die Sudetendeutschen. Wer heute noch sich als Sudetendeutscher in Wien deklariert, ist entweder ein Flüchtling, den die schrecklichen Ereignisse im Jahre 1945 nach Österreich verschlugen, oder lebt schon in zweiter oder gar in dritter Generation in Wien. Die echten Sudetendeutschen oder, wie sie damals hießen, die „Deutschböhm", die vor 1914 nach Wien wanderten, sind völlig verschwunden. Und damit verlor Wien die fleißigsten und intelligentesten Arbeiter, Handwerker und Beamten, die die Monarchie gekannt hatte. Ihre Liebe zur Arbeit glich oft schon einer Besessenheit. Diese Besessenheit kennen im heutigen Österreich nur noch die Vorarlberger, kaum die übrigen Österreicher. Aber Vorarlberger wandern nicht nach Wien aus, sondern bleiben im „Ländle" oder gehen in die Schweiz. Und so besitzt Wien heute kaum noch Menschen, die Roboter sind, Roboter mit einer hohen Intelligenz, die oft ins Spintisieren reichte, ins Spekulative. Die Tiroler, die Steirer, die eine ähnliche Spekulationsgabe besitzen, wandern aber auch nicht nach Wien. Eher wandern schon die Wiener nach Tirol, nach Steiermark. In Graz kann es einem passieren, daß man unter zehn Leuten neun geborene Wiener antrifft . . . Nein. Wien besitzt keine Roboter mehr.

Aber nicht nur diese sind verschwunden, auch die slowenischen und kroatischen Dienstmädchen. Verschwunden sind vor allem auch die Juden. Das ist vielleicht einer der ärgsten Schläge, die Wien erhalten hat. Verschwunden sind die braven jüdischen Hausärzte, die meist auch gute Seelenfreunde und Helfer der von ihnen be-

Die Schottenkirche mit dem Austria-Brunnen auf der Freyung. Der Babenberger Herzog Heinrich Jasomirgott gründete 1155 das Schottenkloster. Heinrich und seine Gemahlin, die byzantinische Kaisertochter Theodora, liegen in der Gruft der Schottenkirche begraben. Der Austria-Brunnen auf der Freyung stammt von Ludwig Schwanthaler (1846).

The Schottenkirche ("Church of the Scots") and Austria Fountain on Freyung square. Duke Henry Jasomirgott founded the monastery for "Scottish" (actually Irish) monks in 1155. He and his wife Theodora, daughter of the Byzantine Emperor, are buried in the vaults of the church. Ludwig Schwanthaler created the Austria Fountain in 1846.

La Schottenkirche et la fontaine Austria sur la Freyung. C'est en 1155 que le duc de Babenberg Henri Jasomirgott fonda le monastère des Ecossais. Henri et son épouse Théodora, fille d'un empereur byzantin, sont inhumés dans la crypte de l'église. La fontaine Austria est due à Ludwig Schwanthaler (1846).

Der Vermählungsbrunnen auf dem Hohen Markt: Er wurde als Erfüllung eines von Kaiser Leopold I. gemachten Gelübdes von Joseph Emanuel Fischer von Erlach 1729 bis 1732 erbaut.

Wedding Fountain on the Hohe Markt: In fulfillment of a vow made by Emperor Leopold I, Joseph Emanuel Fischer von Erlach created the fountain in 1729 to 1732. It represents the marriage of Mary and Joseph.

Fontaine du Mariage sur la place du Hohen Markt: érigée par Joseph Emanuel Fischer von Erlach de 1729 à 1732, à la suite d'un voeu de l'empereur Léopold Ier, elle représente le Mariage de la sainte Vierge et de saint Joseph.

Die Kirche Maria am Gestade. Schon ihr Name weist an ihren Standort am Steilabfall des früheren Donauarmes hin. Die Kirche wird urkundlich bereits 1158 genannt, ihre heutige Baugestalt erhielt die schöne gotische Kirche 1394–1414. Besondere Bewunderung verdient der hochgotische Dachgiebel und der wie Spitzenwerk durchbrochene Turmhelm.

Church of Maria am Gestade. Its name indicates the church's site on the steep bank of a former Danube tributary. First recorded in 1158, the church was given its present shape between 1394 and 1414. The Late Gothic roof gable and the lacework of the spire are particularly noteworthy.

L'église Maria am Gestade. Comme son nom l'indique, cette église se trouvait jadis au bord d'un bras du Danube. Elle est déjà mentionnée dans un document datant de 1158. Les particularités architecturales de cette belle église gothique remontent à 1394–1414. Le pignon en Gothique flamboyant et le heaume dentelé se trouvant au sommet de la tour sont particulièrement remarquables.

Wiener Fiaker. Mit dieser Benennung wird eine Lohnkutsche mit Pferdegespann, aber auch der Kutscher selber bezeichnet. In der Zeit des Biedermeier ging diese populäre Alt-Wiener Figur auch in die Literatur ein. Der Name entstand von der Pariser Straße Saint Fiacre, dem Standplatz der ersten Mietkutschen um 1622.

A Viennese Fiaker. The term is used for the horse-drawn hack as well as for its coachman. This characteristic figure of Old Vienna became popular in the literature of the Biedermeier age. The name derives from the rue Saint Fiacre in Paris, where the first hacks were stationed in 1622.

Un fiacre viennois. Le fiacre est une voiture de louage tirées par des chevaux et dont le cocher est également appelé « fiacre ». Durant l'époque du Biedermeier, ce populaire personnage viennois fit également son entrée dans la littérature. Le terme « fiacre » est d'origine parisienne, de la rue Saint-Fiacre, où existait un stationnement de voiture de louage vers 1622.

treuten Familien waren, verschwunden die feinen jüdischen Gelehrten, verschwunden die jüdischen Journalisten. Und das ist eine besondere Katastrophe für die österreichische Presse. Denn diese jüdischen Journalisten, die ein Deutsch schrieben, mit dem Goethe zufrieden gewesen wäre, während das heutige Zeitungsdeutsch doch oft so verballhornt ist, daß es sich wie der Slang zum Oxfordenglisch verhält, diese jüdischen Journalisten also, die ihren Beruf nicht nur als Sprungbrett auffaßten oder als einen Beruf, den man vorübergehend ausüben könne, weil man derzeit nichts „Besseres" gefunden hatte, diese Juden, die somit den echten Eros des Berufes hatten, besaßen auch – Esprit. Und die Zeitungen, in denen sie schrieben, waren auch nie langweilig. Während jetzt . . . aber lassen wir das . . .

Die Tschechen sind aus Wien verschwunden, die Sudetendeutschen, die Kroaten, die Slowenen, die Juden. Die Vorarlberger kommen nicht nach Wien, nicht die Tiroler, nicht die Steirer. Wien ergänzt sich aus dem Burgenland, aus dem nahen Niederösterreich. An die Stelle von Reichenberg, von Komotau, von Bodenbach, von Brünn, Pisek und Znaim ist St. Pölten getreten. Aus Sankt Pölten zu stammen bedeutet heute so etwas wie eine sichere Anwartschaft auf eine Karriere in Wien.

Vor einiger Zeit sagte der Abt eines Benediktinerklosters zu mir: „Vor dreißig Jahren bestand unser Konvent aus fünfundzwanzig Patres und fünfzig Laienbrüdern. Heute besteht er aus zwanzig Patres und fünf Laienbrüdern. Bald wird es überhaupt keine Laienbrüder mehr geben. Wir werden dann natürlich immer noch ein Benediktinerkloster sein, aber die soziologische Struktur unseres Klosters wird sich völlig gewandelt haben." Ähnliches geschieht jetzt in Wien. Es entsteht ein neues Wien. Ein Wien, das kein Völkergemisch mehr darstellt. Dessen Leben auf einer neuen Plattform sich abspielt. Ob dieses neue Wien schön sein wird? Möglich. Das alte war es bestimmt. Es hatte etwas unendlich Bestrickendes, etwas Bezauberndes. Es besaß ein Fluidum, das nicht wiederzugeben ist. Ohne diese Arbeit der „Laienbrüder" von Wien, dieser böhmischen Schuhmachermeister, dieser sudetendeutschen Roboter, dieser jüdischen Journalisten, dieser kroatischen Dienstmädchen hätte dieses bezaubernde Wien nicht entstehen können. Dieses bezaubernde Wien, dessen Charme die Welt berückte.

Knapp bevor Sie, sehr geehrter Herr Antonin, Ihr Geschäft aufgaben, ging ich einmal an Ihrem Laden vorbei. Ich sah Sie in der kleinen Kammer sitzen, die sich oberhalb Ihres Geschäftes befand und deren Fenster ebenfalls auf den Lobkowitzplatz gingen. Sie saßen vor Ihrem Arbeitstisch. Aber Ihre Hände, die jahrzehntelang gearbeitet hatten, ruhten. Ihre Augen sahen starr nach vorn. Ich erinnerte mich, diesen gleichen Ausdruck kurz nach dem Ersten Weltkrieg in den Augen hoher tschechischer Staatsbeamter gesehen zu haben, die noch aus dem Dienst der alten Monarchie gekommen waren. Deren traurige Augen sagten nur immer stumm: „Unser Reich ist zu Ende. Wofür wir gearbeitet haben, ist nicht mehr."

Willy Lorenz

Der alte Herr Hofrat

Den Schauplatz dieser Begebenheit bildete ein geräumiges Zimmer im zweiten Stock eines alten Hauses im Herzen Wiens. Noch eines von den lieben, guten, schönen, mit dicken Mauern, gehörigen Fenstervertiefungen, schweren Doppeltüren, hohen Zimmern, ein famoses Haus, in dem niemand „Helf Gott!" zu sagen brauchte, wenn der Wandnachbar nieste.

Kamilla Riesel war in diesen Räumen gelandet wie in einem Friedensport nach schweren, drangvollen Zeiten, die ihrer sehr glücklichen Jugend folgten: dem Zusammenbruch des angesehenen Kaufmannshauses, dem sie entstammte, dem Tode ihrer Eltern, nur zu bald darauf auch des geliebten Gatten und dann das immer näher heranschleichende, häßliche, ganz gemeine Elend. Umsonst das Gebet ums tägliche Brot, um die Möglichkeit, es zu erwerben.

Wenn es nicht Sünde wäre, von einem Schicksal zu reden statt von Gottes Fügungen, Frau Riesel hätte gesagt: „Das Schicksal hat sich über mich gestürzt wie ein Geier über eine Taube, und mich Stück für Stück zerrissen." Aber sie sagte es nicht, sie sprach überhaupt wenig und von ihrer Vergangenheit nie. Vor acht Jahren war's, an einem frostigen Winternachmittage. Sie hatte den Erlös einer kleinen Bestellung aus einem Weißwarenlager in der Mariahilfer Straße abgeholt und dabei erfahren, daß ein neuer Auftrag nicht in Aussicht genommen sei. Mit stummem Kopfnicken, ohne etwas von ihrer Bestürzung zu verraten, verließ sie den Laden, aber der Schlag war zu hart und unerwartet gewesen, und sie blieb wie betäubt eine Weile auf der Straße stehen. Was tun? Zurückkehren in ihr armseliges Heim? – Wie lang noch das ihre? Der jämmerliche Unterschlupf war ihr ja schon gekündigt worden – oder auf der Suche nach Arbeit neue, gewiß vergebliche Wege machen?

Sie stand mitten auf dem Trottoir, wurde von den Passanten unwillig zur Seite gestoßen, bemerkte es nicht, stand und sann und blickte starr vor sich hin und blickte plötzlich in ein Paar blaue, gütige Augen, die sich auf sie gerichtet hatten, sie voll mitleidiger Überraschung anstaunten und fragten: Bist du's?

Es waren die lichtblauen Augen der Frau Rosa Hügel, einer ehemaligen guten Bekannten, einer von den vielen, denen Kamilla Riesel, seitdem sie ins Elend geraten war, ängstlich aus dem Wege ging. O Gott, nur keine Begegnung mit ihnen, die in Tagen des Wohlstandes ihren Verkehr gebildet, zu ihr emporgeschaut, sie oft beneidet hatten. Erschrocken wollte sie sich abwenden, aber die kleine Dame hatte sich die Frage: bist du's? schon beantwortet. Sie war's. In einer Armut, die sich nicht verhehlen ließ. Dieses Sommerkleid im Winter, diese Mantille von Anno eins mit den scharf gewordenen weißlichen Falten, und der Hut, die Handschuhe ... Großer Gott, was für ein Hut, was für Handschuhe! Aus all dem sprach das Elend.

Ja, ja, man hatte gehört: Die armen Riesels sind zugrunde gegangen; schuldlos, ohne Schaden für andere. Sehr traurig, sehr. Aber sie hatten niemand mit Ansprüchen behelligt. Vielleicht geht es ihnen gar nicht so schlecht. O des gedankenlosen Gewäsches ... nun sah Rosa, wie es der ehemaligen Freundin erging. Freundin wurde sie in dem Augenblick von ihr genannt, die im Bettlerkleide, aber in ihrer alten würdevollen Haltung vor ihr stand. Niedergekniet vor ihr wäre die impulsive Frau, wenn das auf offener Straße sich halbwegs geschickt hätte. Da sie aber nicht gleich etwas tun konnte, begann sie wenigstens sehr viel zu reden und rief, Frau Riesels Hand ergreifend:

„Kamilla, muß man auf einen Zufall warten, um dich endlich zu erwischen? Was treibst du? Gehst den besten Freunden aus dem Wege, alle beklagen sich . . .“

Sie schwatzte, sie log, flunkerte der ins Unglück Geratenen allerlei vor von einer Teilnahme, die es weit und breit nicht gab; sie wollte die Wiedergefundene nach Hause oder – als sie die Bestürzung bemerkte, die dieser Vorschlag erweckte – wenigstens bis an ihre Tür begleiten.

Rosa Hügel war eine gut erhaltene Blondine von fünfzig Jahren. Ihre kleine, aber einst berühmt schöne Gestalt hatte eine leichte Neigung nach rechts angenommen und ihre Schlankheit, nicht aber ihre Beweglichkeit eingebüßt, eine stimmungsvolle harmonische Beweglichkeit. Alles war rund an dieser Frau, ihre Frisur, ihr Kopf, jeder Teil ihres Gesichtes, die spielenden Gebärden der in zu enge Handschuhe gepreßten Kinderhände. Gewiß waren auch ihre Empfindungen ohne Kanten und Schärfen und ihr inneres wie ihr äußeres Wesen auf dem Wege zur Kugelform, die Fechner seinen Planetenengeln verleiht.

Sie erzählte auch von sich, von ihrem Manne, einem allgemein hochgeschätzten Ministerialbeamten, von ihren Kindern, und kam endlich auf den Vetter Hofrat, der in Pension getreten sei. Kaum aber hatte sie den genannt, als sie plötzlich innehielt. Ein Einfall war ihr durch den Kopf geschwirrt, kam als guter, hilfreicher Gedanke wieder, erfreute und beglückte sie. Ihre freundlichen Augen glänzten.

„Kamilla, nein, ja – ich sage dir, es ist kein Zufall, was uns da zusammenführt, es ist ein gnädiger Wink des Himmels.“

Und nun kam in stürzenden Wortwellen eine lange Geschichte herangeflutet. Der Vetter Hofrat befand sich einmal wieder – ach, es war sein gewöhnlicher Zustand! – in größter Verlegenheit. Sein Hauswesen brauchte dringend und augenblicklich eine Lenkerin. Mit der vorvorigen war es nicht gegangen und mit der vorigen schon gar nicht. Nun sollte Cousine Rosa eine der schwierigen Stellung gewachsene Persönlichkeit auffinden und ging schon seit drei Tagen vergeblich auf Entdeckungen aus . . . Ja, wenn Kamilla sich entschließen könnte, wollte – sie freilich, sie wäre auf diesem Posten das Ideal, von dem der Vetter und die Familie träumten . . . Sie, mit ihrem Charakter, ihrer Erscheinung, ihrem Verstand, ja, wenn sie den Posten annehmen wollte!

„Warum nicht?“ fragte Kamilla, vor der die Hoffnung auf Erlösung aus dem Elend wie Morgenröte aufzusteigen begann.

„Also du wolltest?“ – Das kam ganz leise heraus . . . Rosa war auf einmal sehr verlegen geworden, besann sich, stotterte: „Es ist nur die – es ist nur das . . . Du wirst es nicht aushalten!“ stieß sie hervor.

Kamilla reckte sich stolz und steif in die Höhe: „Ist er unmoralisch?“

„O nein, davon keine Rede. Was das betrifft, ein Seraph. Aber wunderlich, und ach! so schwer zu behandeln . . . Scharmant nur beim Kartenspiel, das, ja – aber man kann nicht den ganzen Tag Karten spielen . . . Mein armer Vetter hatte von Natur ein unangenehmes Wesen, und das hat sich schauderhaft ausgebildet in seiner langen, unglücklichen Ehe.“ Sie besann sich eine Weile, seufzte mehrere Male und fuhr in hastigen, abgebrochenen Sätzen fort:

„Die Frau – wohl ihr! – starb, aber seine Unausstehlichkeit lebt fort und ver-

breitet sich jetzt über seine ganze Umgebung. Ach, daß ich dir das alles verrate
– weil ich so ehrlich bin ... und weil du es ohnehin merken würdest. Kamilla, wenn
du dich entschließen könntest ... du ahnst nicht, was uns daran läge, den alten
Herrn in guten Händen zu wissen! – Er kann so leicht in schlechte geraten, in die
einer Intrigantin, die ihn der Familie – ach, er hat ohnehin kein Herz für uns! –
völlig entfremdet, ihn ausbeutet, die er am Ende – alte Herren sind unberechenbar
– wenn sie leidlich hübsch ist ..."

Sie stockte und wurde rot bis an die Haarwurzeln ... Sie war zu weit gegangen
in den Ausbrüchen ihres maßlosen Vertrauens auf die Verläßlichkeit der Hausdame
ihrer Wahl ... Ihr „leidlich hübsch" brannte ihr auf der Zunge.

Kamilla sah ihre Bestürzung und lächelte sie ruhig und beruhigend an. Eine Viel-
geprüfte wie ich ist unempfindlich für eine kleine Verletzung der Eitelkeit, sagte
dieses Lächeln so deutlich, daß Rosa, tief ergriffen, nur noch Gemütsbewegung war.
Ihre kleinen Hände falteten sich, und von den Lippen sprudelten beredsame Worte,
mit denen sie die Freundin beschwor, die ihr dargebotene Stellung anzunehmen.

Am nächsten Tage schon hatte Kamilla ihr Amt angetreten und versah es nun seit
acht Jahren mit Weisheit, heldenmütiger Geduld und Selbstaufopferung. Ihr Stolz
bildete den Panzer, an dem die erfinderischen Bosheiten des Gebieters abprallten.
Sie hätte Demütigungen in Gegenwart anderer nicht ertragen; aber der Hofrat war
ein Gewohnheitsmensch, der seine Stunden genau einhielt. Auch die, in denen er
seine Widerwärtigkeit ihre giftigen Blüten treiben ließ. Zum Glück für Frau Riesel
die Morgenstunden. Die Nörgeleien, denen sie fortwährend ausgesetzt war, hatten
keine Zeugen und konnten ihr wohlverwahrtes Geheimnis bleiben.

Das Leben im Hause verfloß so einförmig, daß man das regelmäßige Ticken der
Zeitenuhr zu vernehmen meinte. Im Winter in Wien, im Sommer in der Villa
in Mödling, blieb die Tageseinteilung unverrückbar gleich. Nur daß der Hofrat
die Morgenstunden, je nach Jahreszeit, der Pflege seiner Rosen oder seiner viel-
gerühmten Sammlung alter kostbarer Münzen, Ringe, Emails widmete. Am Vor-
mittage unternahm er einen Spaziergang bei gutem, eine Spazierfahrt bei schlechtem
Wetter. Er bekam auch einige Besuche, die er nie erwiderte und selten empfing,
wenn es nicht Antiquare, besondere Kunstkenner oder Verwandte waren, die sich
melden ließen. Nachmittags rauchte der Hofrat wieder eine türkische Pfeife;
Kamilla brachte die Abendblätter und hatte pflichtschuldigst zu fragen: „Darf ich
vorlesen?"

Er machte über ihr Organ, ihre Vortragsweise einige kritische Bemerkungen und
lehnte ab. Die stille und sogar freudige Dulderin schritt von dannen, um ihren
Posten im Nebenzimmer zu beziehen. Ihre Aufgabe war, jede Störung des Nach-
mittagsschläfchens zu verhüten, dem sich der Gebieter nun überließ, eines Schläf-
chens, von dem jeder wußte und niemand etwas ahnen durfte.

Den Schluß des Tages bildete die Tarockpartie. Drei, wie der Hofrat sagte,
„sogenannte" Freunde fanden sich dazu ein: ein pensionierter Major von der In-
fanterie, ein Großindustrieller und ein Professor der Botanik.

Der Major zählte sechzig Jahre, lebte in behaglichen Verhältnissen und verehrte
Frau Riesel im stillen. Er hatte eine stattliche Gestalt, ein großes, schönes Gesicht
graue, glatt gescheitelte Haare. Sein Schnurrbart und sein Backenbart zeigten noch
einige Reste von Blondheit. Er verfügte über einen großen Vorrat von Anekdoten,
die er gern zu Ende erzählt hätte, wenn er nicht durch sein eigenes Gelächter oder
durch eine bissige Bemerkung des Hofrats daran gehindert worden wäre.

Der Großindustrielle war etwas älter, ein hochgewachsener Mann mit langem, schmalem Halse, spärlichem Haarwuchs, sorgfältig gewaschen und rasiert, aber nachlässig gekleidet. Seine Geschäfte führte er genial, vergrößerte alljährlich sein Vermögen, verschenkte ohne Herzbrechen eine Tausendkronennote, konnte aber den Verlust einiger Kronen beim Spiele nur sehr schwer verwinden und bekam so, ohne ihn zu verdienen, den Ruf, geizig zu sein.

Der Professor gehörte zu den Autoritäten in seinem Fache, war der Älteste von der ganzen Gesellschaft, klein und dick. Er hatte einen breit gewölbten Kopf, eine von grauen, noch dichten Haaren umgrenzte Glatze und freundliche, braune Augen, die einen zärtlichen Ausdruck annahmen, wenn sie sich auf Frau Riesel richteten. Von Zeit zu Zeit brachte er ihr wissenschaftliche Bücher und erhielt sie nach einigen Tagen, sorgfältig eingehüllt, zurückgesandt. Auf ein Urteil über das Gelesene ließ sie sich nicht ein, sondern sagte nur, wenn er danach fragte, mit ernster und bedeutender Miene: „Ein äußerst lehrreiches und interessantes Werk." Und das freute ihn.

Die drei Herren, in allem übrigen ganz verschieden, hatten doch eine ausgesprochene Ähnlichkeit: jeder von ihnen war ein berühmt unangenehmer Spieler, und ihre Streitigkeiten bildeten für den Hofrat die Würze der Abendunterhaltung. Schlag neun Uhr trat Frau Riesel in den Salon, gefolgt von einem Diener, der das Souper auftrug. Es bestand aus feinster kalter Küche, bayerischem Bier, französischen Weinen. Die Herren kamen vom Spieltisch herüber, und die Gäste machten der Mahlzeit Ehre und der Frau Kamilla Komplimente, was ihr unangenehm war und den Hofrat verdroß. Sie entschwand leise, wie sie gekommen war, sobald ihre hausmütterlichen Pflichten es ihr erlaubten. Der Tarockkrieg wurde fortgesetzt und endete gewöhnlich mit einem faulen Frieden, die Kämpfer trennten sich in brennender Erwartung neuer Gefechte. Doch kam es auch vor, daß einer der Gastfreunde, den ganzen Abend hindurch vom Unglück gar zu hartnäckig verfolgt, von den Neckereien der Spielgefährten gar zu tief verletzt, beim Fortgehen sagte: „Tut mir leid, kann morgen nicht kommen; bin verhindert."

Gleich darauf fiel den beiden andern ein, daß sie nicht nur morgen, sondern überhaupt nicht so bald wiederkommen könnten. Der Hausherr gab äußerst spöttisch sein Bedauern kund, und die drei gingen schweigend die Treppe hinab und entfernten sich vor dem Hause nach verschiedenen Richtungen.

Am nächsten Morgen teilte der Hofrat seiner Hausdame den Vorfall mit.

„Glauben Sie, daß die alten Esel heute kommen werden?" fragte er.

Gewöhnlich erwiderte Kamilla: „Heute nicht, morgen aber gewiß." Einmal jedoch hatte sie eine Anwandlung von Renitenz und sagte in beinahe tadelndem Tone: „Die alten Esel? Wen meinen der Herr Hofrat?"

Er fuhr in die Höhe: „Oh, jammervoll, höchst jammervoll, ich habe Sie ins Herz getroffen! Ihre Kurmacher meine ich."

„Verzeihung. Ich konnte mir unmöglich vorstellen, daß Sie von Wesen sprechen, die es nicht gibt."

„Hoho . . . Hat Ihnen der Major nicht gestern wieder die Anekdote von Adalbert Pointner, dem dümmsten Mann im Regiment und wahrscheinlich in der Armee, erzählt?"

„Erzählen wollen. Ich habe das Ende dieser Anekdote noch nie gehört, weil Sie den Herrn Major immer unterbrechen."

Der Hofrat machte eine abwehrende Bewegung mit der Hand, als ob er den

Einwand hinwegwinken wollte: „Und der Gelehrte hat Ihnen wieder geistige Nahrung gebracht. Was denn?"

„Die Synopsis der Botanik von Leunis."

„Hahahaha! Synopsis! – Ich wette, daß Sie nicht ahnen, was das heißt."

„Es heißt Übersicht, Abriß, kurzer Begriff einer Wissenschaft."

„Mein Kompliment zu Ihrer Gelehrsamkeit. Haben Sie noch gestern oder erst heute im Heyse nachgeschlagen?"

Frau Riesel errötete und schwieg. Nein, in Streitigkeiten mit ihm konnte sie sich nicht einlassen, er war zu stark.

Wenn es keine Spielpartie gab, fuhr der Hofrat ins Theater. Kamilla sah das nicht gern, denn von dort kam er nicht nur verdrießlich, sondern betrübt und in seinen besten Gefühlen schmerzlich verletzt heim. Voll sittlicher Entrüstung aus den kleinen, voll ästhetischer Entrüstung aus den großen Theatern. Er brach in Klagen aus über alles, was er gesehen, und auch über alles, was er nicht gesehen, von dem er nur gehört und gelesen hatte.

„Vorbei, vorbei! Das Theater als Kunstgenuß, als Bildungsstätte für Hohe und Geringe, ist tot. Es gibt Tragödien, aber keine Tragödie mehr, kein Drama, nur noch Schauspieler. Das Sprachrohr ist Stimme geworden, das heißt, es hält sich dafür, die untergeordnete Kunst bläst sich auf, bläst den Geist der höheren hinweg, um einen Mienen-, Gesten- oder Sprechknalleffekt hervorzubringen . . ." Der Hofrat wetterte vernünftig und unvernünftig, kam vom Hundertsten ins Tausendste, von den Theatern auf die Politik, die Landwirtschaft, die Parteien, die Zeitungen, die zynische, affektierte, perverse Literatur, verachtete und verfluchte die Moden. Die Chinesinnen verunstalten nur ihre Füße, die heutigen Frauen ihren ganzen Körper.

„Wie kann der Nachwuchs aussehen, der aus diesen aufgedonnerten Hampelpuppen hervorgeht?" fragte der Hofrat in atemberaubender Erregung. „Sie wissen es nicht? Nun, ich sage Ihnen, verkümmert und verkrüppelt. Man wird das Militärmaß heruntersetzen müssen, es wird lauter krummbeinige Leutnants geben und keinen Schwadronskommandanten ohne Buckel!"

Frau Riesel raffte sich endlich zu einem Einwand auf: „Ach, Herr Hofrat, die Moden wechseln heutzutage so schnell."

„Was schnell! Die Rasse hat schon ihren Text, einige Jahrgänge sind schon hin." Immer hitziger redete er sich in den Jammer hinein, prophezeite den Untergang der Zivilisation, dem ganz Europa entgegenginge, und dem sein Vaterland, sein abgöttisch geliebtes, mit Riesenschritten entgegenstürmte. Er beschimpfte, verurteilte es und zerriß dabei sein eigenes Herz.

Am nächsten Tag sah er dann ganz elend, klein, gelb und mager aus. Kamilla empfand ein schmerzliches Mitleid, und drei Briefe wurden geheimnisvoll abgesandt. Sie waren an die Freunde gerichtet und enthielten in zierlich gedrechseltem Stile die Bitte, sich heute ganz gewiß zur Partie einzufinden.

Marie von Ebner-Eschenbach

Die schönen Frauen des Biedermeier

Der Kongreß hatte Wien unerhörten Glanz gebracht. Der Zauber seiner durch die großartigen kaiserlichen Feste gehobenen gesellschaftlichen Atmosphäre wurde durch eine internationale Prominenzen- und Gästeschar gleichsam megaphonisch verstärkt, so daß er aufleuchtete wie ein Feuerwerk, das sich als ausgezeichnete Propaganda für Wien auswirkte. So entwickelte sich auch die Mode, gleichsam flügge geworden, von da an in dem ihr eigenen Rahmen individuell weiter, indem sie in die einfache Form der Bürgerlichkeit einige Elemente aristokratischer Eleganz zu verweben und beide in Harmonie zu bringen verstand.

Mit den großen Festen war es nachher aus, es folgte eine Zeit der Einschränkung. Das Bürgertum beherrschte die Szene, indem es bewußt neben die Arbeit die kleinen Freuden des Lebens setzte und diese möglichst anmutig ausschmückte. Eine Tätigkeit, die vorzüglich aus den Talenten der Frauen kommt. Wir kennen diese Zeit zwischen dem rauschenden Kongreß und der Revolution unter dem Namen Biedermeier. Den durch die Politik beschränkten Raum hob man mit Behaglichkeit, Phantasie, Schönheit und Liebe gleichsam in eine verklärte Atmosphäre, die in der Folge die ganze Welt bezauberte. Geld, Pracht, Macht spielten dabei nicht die ersten Rollen. Der repräsentativste Dichter der Zeit, der Volksschauspieler Ferdinand Raimund, ließ den zugrunde gegangenen „Verschwender" beim alten Tischler Valentin und seinem Weib Rosa, der Urwienerin, Trost und Unterkunft finden. Die Beschränkung war die Lehrmeisterin des Biedermeiers und seiner Kunst. Man baute keine Palais mehr, sondern kleine Familienhäuser mit bescheidenen, doch schönen und selbstbewußten Fassaden oder – etwas später – große mehrhöfige Zinshäuser mit den Wien eigenen Durchgängen von Straße zu Straße. Kitsch war nicht nötig, denn man hatte Echtheit in Fülle.

Die Industrie wuchs und mit ihr das Volksvermögen, denn Enge bedeutete keineswegs Armut. Im luxuriösen Apollosaal auf dem Neubau kostete der Eintritt fünf Gulden pro Kopf und fünf weitere Gulden das Souper. Doch war es immer übervoll und faßte – fünftausend Personen. Neue Menschenschichten drängten von unten herauf. Der Hausherren- und Fabrikantensohn aus der Vorstadt, des Seidenwebers Sohn vom Brillantengrund, dessen Vater noch ein einfacher Arbeiter gewesen, kam im eigenen, selbst kutschierten Wagen, in erotischem Nimbus fast einem Grafen gleich. Man brauchte die Aristokraten nicht mehr: man war selbst jemand. Den Tanzsälen ähnlich an Luxus waren die Kaffeehäuser, die noch den Herren vorbehalten waren. Nur ein einziges weibliches Wesen hatte den Vorzug – und die Pflicht –, dort anwesend zu sein: die Sitzkassierin, die in blonder, kokett frisierter Venusschöne an der Kasse thronte, Herrin über alle hier weilenden Männerherzen. Die Sitzkassierin, damals und später eine typische Wiener Figur, war ein Mittelding zwischen galanter Dame und arbeitender Frau – Vorläuferin der reizenden Espressomädchen von heute, die allerdings mit „Sitzen" gar nichts mehr zu tun haben.

Das Biedermeier wäre aber nicht eine so frauenfreundliche Zeit gewesen, hätte es den Damen für das Kaffeehaus nicht anderweitigen Ersatz geschaffen. Im Paradeisgartl auf der Löwelbastei, in der Ochsenmühle auf der Burgbastei, in der eleganten Limonadenhütte auf dem Graben wären die Herren nicht gerne ohne ihre

Damen gewesen. Hier saßen sie neben oder hinter ihren Schönen, die ihr Gefrorenes löffelten, und flüsterten ihnen süße Dummheiten ins Ohr. Die Biedermeierdamen verzehrten ungeheure Mengen von Gefrorenem und schwelgten in zahlreichen Arten. Veilchen, Zimt, Vanille, Schmankerl, Rosen, Maroni, Quitten, Milchrahm, Punsch, Kirschen, Limoni und noch viel anderes verzauberte man zu Eis, das in zierlichen Bechern kredenzt wurde.

Auf dem Graben saßen die Herren auch am Vorabend des Annentages (26. Juli) und musizierten für die vielen Annen, Nettis, Nanetten und Netterln von Wien. „Anna ist der Name", sagte der Schriftsteller Perinet in „Annehmlichkeiten in Wien", „vor dem alle die Knie beugen. Er ist der einzige, der vorne und hinten gleich ist, von dessen Namensträgerin alles, von der gnädigen Frau angefangen bis zur Mistträgerin, wimmelt." Ursprünglich war der Annentag ein Feiertag zu Ehren der heiligen Anna, der dann von Maria Theresia beseitigt wurde, worauf die Wiener sich trösteten, indem sie ihre eigenen profanen Annerln hochleben ließen; das konnten ihnen weder Kaiserin noch Kaiser verwehren! Aus dem Festtag wurde ein Volksfest, eine den zahlreichen Annen und mit ihnen allen Mädchen und Frauen von Wien dargebrachte Huldigung. Die heilige Anna hatte sich mit einem Tag begnügt, für die Annen und ihre Verehrer aber war das nicht genug; man nahm den Vorabend dazu, der sich noch bewegter gestaltete als der folgende Festtag und oft auf die ganze Nacht ausgedehnt wurde. Überall ertönten da die Serenaden für die Nanetten, und die jungen Leute zogen singend umher, manchmal auch mit grobem Unfug. Am Morgen des sechsundzwanzigsten Juli bemerkte man – trotzdem es kein Feiertag sein durfte – ein außerordentlich starkes Fahren in den Straßen: die jungen Herren machten ihren Nannerln Gratulationsbesuche. Die halbe Stadt war in Aufruhr. Die Theater hatten besondere Vorstellungen: „So treibt man den bösen Nannerln den Teufel aus." Der Zeichner und Kunsthändler Löschenkohl verkaufte seine berühmten entzückenden, jedes Jahr neu entworfenen Annenfächer, deren größter auch als Sonnenschirm verwendet werden konnte; Herr Löschenkohl war ein praktischer Mann, und er schuf viele Gelegenheiten für die Herren, ihren Annen zuliebe in die Taschen zu greifen. Der Dichter Ernst Moritz Arndt, gewiß kein weichlicher Genießer, schrieb aus Wien freudig erregt, daß er dank den schönen Annerln trunken und selig um zwei Uhr nachts nach Hause ging; und Zacharias Werner wurde poetisch, da er der Annennacht gedachte: „Die klaren Brunnen plätscherten ausgelassen – als ob auch sie, gespornt vom liebentbrannten – Mondenschimmer froh nach ihren Annen rannten – das große Wien kann all die Lust kaum fassen –", womit er allerdings nicht ganz recht hatte: das große Wien konnte all die Lust sehr gut fassen – und noch etwas mehr dazu.

Ann Tizia Leitich

Ein Alt-Wiener Hof in der Bäckerstraße. Die Bäckerstraße weist noch viele alte Häuser mit Toren, Erkern und Höfen auf. Hier in der ältesten Gegend Wiens siedelten sich die Bürger getrennt nach ihren Berufen an.

Typical Old Vienna courtyard in the Baeckerstrasse. This street has many more ancient houses with handsome doorways, bay windows and courtyards. In this oldest part of the town the citizens settled together according to their professions.

Une vieille cour viennoise dans la Baeckerstrasse. La Baeckerstrasse possède encore plusieurs vieilles maisons avec des portes cochères, des encorbellements et des cours intérieures.

Die alte Gaststätte „Griechenbeisel" auf dem Fleischmarkt. Hier befand sich einst das Viertel der griechischen Kaufleute. Das „Griechenbeisel" hat von ihnen den Namen. Heute ist es Treffpunkt der Künstler und beherbergt eine ständig wechselnde Kunstgalerie junger Wiener Maler und Graphiker.

The ancient Griechenbeisel, "Greeks' Pub" on the Fleischmarkt (Meat Market), the quarter where the Greek merchants used to live. This explains the name of the inn which today is a meeting place for artists and contains a gallery of pictures by young Viennese painters and designers.

La vieille auberge «Griechenbeisel» au Fleischmarkt. C'est ici que se trouvait jadis le quartier des commerçants grecs. La «Griechenbeisel», ou Auberge des Grecs, lui doit son nom. De nos jours, c'est le rendez-vous des artistes; une galerie d'art organisant des expositions temporaires montre les œuvres de jeunes artistes viennois.

Kirche Am Hof „Zu den neun Chören der Engel". Die Fassade dieser einstigen gotischen Kirche aus 1386 wurde 1632 vom italienischen Barockbaumeister Carlo Carlone umgestaltet. 1806 legte hier Franz II. die römische Kaiserkrone nieder.

Court Church "Of the Nine Angelic Choires". The façade of the formerly Gothic church dating from 1386, was reconstructed in 1632 by the Italian Baroque architect Carlo Carlone. Here Francis II laid down the Crown of the Holy Roman Empire in 1806.

Eglise am Hof « Aux neuf Choeurs des Anges ». La façade de cette ancienne église gothique remontant à 1386 fut remaniée en 1632 par Carlo Carlone, un maître du Baroque italien. C'est ici qu'en 1806 François II renonça à la couronne du Saint-Empire romain et qu'il prit le titre de François 1er, empereur de l'Empire des Habsbourg.

Das bürgerliche Zeughaus auf dem Platz „Am Hof". Die Waffenkammer wurde im 16. Jh. erbaut und 1731 in der heutigen Fassade erneuert. Die eine vergoldete Weltkugel tragenden Figuren über der Hauptfassade deuten den Wahlspruch Kaiser Karls VI. aus: „Constantia et Fortitudo – Beständigkeit und Stärke – tragen die Welt".

The municipal armory on "Am Hof" square. It was built in the 16th century and was given its present façade in the course of a restoration in 1731. On the main front figures carrying a guilt globe hint at the device of Emperor Charles VI: "Constancy and Fortitude support the World".

L'Arsenal civil sur la place « Am Hof ». Cet Arsenal fut construit au 16ème siècle et sa façade fut remaniée en 1731. Les personnages au-dessus de la façade principale tiennent un globe terrestre doré sur lequel on peut lire la devise de l'empereur Charles VI: « Constantia et Fortitudo » – « La Constance et la Force soutiennent le Monde ».

Von Wirten und Weinen

Der Inneren Stadt eigentümlich sind die großen Prunkkaffeehäuser, die ihre Metamorphose in mittlere Banken und von da wieder zurück in das, was sie waren, jetzt wahrscheinlich endgültig hinter sich haben. Obwohl auf eine geradezu sündhafte Vornehmheit gestellt, sind sie nicht eigentlich auf ein internationales Element zugeschnitten, sondern befriedigen den Anspruch des bürgerlichen Wieners, der schon immer seine Vorliebe für das spießerig-behagliche Wirtshaus mit dem mehr liberal-literarischen Kaffeehaus teilte.

Solcher Wirtshäuser gibt es nun im Stadtinnern noch immer eine schöne Anzahl, mit ausgesprochen gutbürgerlicher Wiener Note, ohne daß diese Note besonders betont würde, während das renommierte Bezirksgasthaus gewisse politische Nuancen erkennen läßt, unter denen sich hier ein ziemlich gleichmäßig kleinbürgerliches Publikum zusammenfindet. Gegen die Vororte hin artet dann diese Nuancierung immer mehr in das vereinsmeierische Beisel aus.

Daß der Wein als der einstige Begründer des Reichtums dieser Stadt noch heute eine Rolle spielt, wird begreiflich erscheinen. Der Überlieferung treu, weist Wien noch immer viele Weinkeller auf; freilich haben die meisten von ihnen heute regelrechten Restaurationsbetrieb, und die guten alten Zeiten, in denen, wie Äneas Sylvius es schildert, die Keller so tief und so weit waren, daß das allgemeine Sprichwort galt, es gebe ein oberirdisches und ein unterirdisches Wien, die sind wohl für immer dahin. Viele von diesen Gaststätten sind, bei sonst ehrwürdigem Alter, von neuzeitlichen Architekten renoviert und entweder unter Verwendung von viel Hirschgeweih und Wandgetäfel altdeutsch oder mittels glasierten Tonziegeln und Tabularasamöbeln neusachlich aufgemacht worden. Eine von ihnen, in einem schönen Barockhaus von Hildebrandt, hat jahrelang ein Publikum von Künstlern und Bohemiens bei sich beherbergt und ist in mehreren Fällen in die österreichische Romanliteratur eingegangen; eine andere, Keller eines der vielen Stifte, die noch heute Wirtschaften betreiben lassen, ist berühmt durch ihr Ganselessen usw. Alle oder doch ihre überwiegende Zahl sind auf die Innere Stadt beschränkt. Für den Weinkonsum der Vorstadt sind die Wein- oder Stehweinhallen typisch, die der Gram der Wirte vom Grunde sind.

Josef Weinheber

Wiener Elegie

Und so sei mir gegrüßt! Für immer nun bleib ich der Deine,
ob du auch nie mich vermißt, hältst du mich liebend doch fest.
Singen will ich ein Lied dir noch als treuster der Söhne –
und wo die Wiege mir stand, find' ich zuletzt auch ein Grab!
Ferdinand von Saar

Die Wiener Karlskirche

Das Gotteshaus wurde von Kaiser Karl VI. gelobt, als 1713 in Wien und den österreichischen Ländern die Pest herrschte und ein bedrohliches Ausmaß erreicht hatte. Es wurde dem Namenspatron des Kaisers, dem hl. Karl Borromäus, zugeeignet, der als Kardinal und Bischof von Mailand sich während des Wütens der Pest in dieser Stadt auch persönlich um die geistliche Betreuung der Erkrankten angenommen hatte. Die Ausführung des Bauwerkes wurde dem kaiserlichen Hofingenieur und Architekten Johann Bernhard Fischer von Erlach übertragen, auf Grund der im Rahmen eines Wettbewerbes vorgelegten Entwürfe. Im Jahre 1716 wurde mit dem Bau begonnen. Zur Deckung der Kosten wurden auch die österreichischen Länder mit herangezogen. Nach dem 1723 erfolgten Tod Fischers führte sein Sohn Emanuel das Werk weiter. Im Jahre 1738 war das Gotteshaus vollendet.

Johann Bernhard Fischer von Erlach hat mit dem Bau der Karlskirche nicht nur ein Werk geschaffen, das sich schon äußerlich vom traditionellen Kirchenbau unterschied. Die aus sehr unterschiedlichen Elementen gefügte Baugruppe ist im ganzen wie auch in den Einzelheiten auf ein sehr kompliziertes ikonologisches Programm bezogen, in dem mit der Glorifizierung des hl. Karl Borromäus auch die Verherrlichung Kaiser Karls VI. inbegriffen ist. Dies bringen besonders die aus den römischen Triumphbauten (Trajanssäule) übernommenen reliefgeschmückten Säulen zum Ausdruck. Sie stellen ein Emblem dar (Säulen des Herkules), das der Kaiser von Karl V., dem römischen Kaiser und spanischen König, übernommen hat, und sind deshalb auch mit dem Reichsadler und der spanischen Königskrone gekrönt.

Für das Gefüge des Bauwerkes hat Fischer sich von Grundformen der bedeutendsten bekannten historischen Sakralbauten anregen lassen (Pantheon, Sankt Peter in Rom, Hagia Sofia in Konstantinopel, Felsendom von Jerusalem, Invalidendom in Paris u. a.). Dadurch suchte er wiederum den Kaiser, den Stifter des Gotteshauses, gleichsam in die Gemeinschaft der Stifter der anderen Sakralbauten zu stellen und ihn damit der Nachwelt als ihren Nachfolger zu dokumentieren.

Fischer hat in seinem ersten Entwurf für Schönbrunn ein „Denkmal römischer Reichsgewalt" (Aurenhammer) gestaltet. In der Karlskirche machte er den Versuch der Darstellung eines absoluten Kirchenbaues, in dem sich der Gedanke der Votivkirche mit dem eines „dynastischen Denkmales" (Dreger) verbindet.

Alois Schmiedbauer

Das Belvedere –
Friedensresidenz des Prinzen Eugen

Das Wiener Barock ist Ausdruck eines befreiten, weitausschwingenden Lebensgefühls. Die Türkengefahr war endgültig von der Donaustadt abgewehrt, und abendländischer Formjubel festigte sich zu Gebilden der Baukunst, die in ihren schönsten Erfüllungen schon wie Vorboten des großen Wiener Musikfrühlings anmuten. Aber zunächst „sang" die Hand der Architekten und Stukkateure, und das Gemüt der Wiener kam in Schwingung durch das, was sie mit den Augen erschauten.

Noch Kaiser Leopold I. leitete ein Zeitalter der friedlichen Repräsentation ein, sein Nachfolger Joseph I. wurde zum großzügigen Förderer der Baukunst. Österreichs Baumeister, die in ihren Lehrjahren in Italien, Frankreich und Belgien in den Kunststil des europäischen Barocks hineingewachsen waren, gaben ihm auf Heimatboden die welt- und formenfreudige und doch innerlich gesammelte Seele, sie wehrten die glanzvolle Veräußerlichung, die etwa an der Münchner Theatinerkirche sichtbar wurde, mit sicherem Instinkt ab und schenkten ihren Bauwerken dafür jenen atmosphärischen Hauch von Anmut, der ein Geheimnis des Wiener Wesens ist.

Die Phantasie der beiden größten Wettkämpfer des Wiener Barockbaues, Johann Bernhard Fischers von Erlach (1650–1723) und Johann Lukas von Hildebrandts (1656–1730), entzündete sich in Wien vor allem am Bauwillen der weltlichen Mächte, des Hofes, Adels und der Marschälle. Auch der berühmteste „Heimkehrer" aus den Türkenkriegen, Prinz Eugen von Savoyen, wollte seinen Alters- und Friedenssitz großzügig gestalten. Schon 1693 hatte er für die Anlage eines Gartenpalastes am Rennweg Grundstücke erworben. Sie zogen sich in einem langen Streifen zur Höhe einer Bodenwelle empor. 1700 wurde mit der Terrassierung für den Garten begonnen. An der Stadtplanaufnahme von 1704 hatte Hildebrandt bereits mitgearbeitet – hier zeigt sich im architektonischen Grundriß des Gartens schon das Bauvorhaben für den Gartenpalast. Das Untere Belvedere ist schon in Umrissen eingetragen. Für den Abschluß des Gartens auf der Anhöhe aber, wo heute der Prunkpalast des Oberen Belvederes steht, war zunächst nur ein „Gartenbelvedere" oder ein kleiner Gartentorbau geplant. Der regsame Bauherr Prinz Eugen sorgte rechtzeitig für eine Mauerziehung um seine Grundstücke am Rennweg und ließ dann mit dem Bau des Unteren Belvederes beginnen. War schon die Gliederung und Struktur dieses Bauwerks, in das die Fresken Altomontes bald auch bedeutsamen Innenschmuck brachten, ein groß durchgeführter Gedanke Hildebrandts, so gelang ihm mit dem Entwurf des Oberen Belvederepalais, dessen Bau 1721 begonnen wurde, die Krönung seines architektonischen Schaffens.

Hildebrandt schien zu spüren, was er der geschichtlichen Persönlichkeit seines Auftraggebers schuldig war. Er brauchte wohl auch den „Anlauf" über das Untere Belvedere, den Blick über die gesamte Gartenarchitektur, bis die Idee für das Obere Belvedere in ihm ausreifte. Alles Kleinliche, räumlich Beengte, aber auch alles Unklare, verspielt Barocke ist hier ausgeschaltet. Die Gelassenheit eines Großen, der sein staatsmännisch-militärisches Lebenswerk vollbracht hatte, mußte in einem solchen Bauwerk ebenso Ausdruck gewinnen wie die Gedämpftheit einer

Seele, die am Abend ihres Lebens zu feierlicher Repräsentation und gleicherweise zu stiller Einkehr neigte.

So schuf Hildebrandt einen Baugrundriß, wie er großzügiger, eleganter und reservierter zugleich nicht gedacht werden konnte. Es war wie die Erleuchtung eines österreichischen Baumeisters, der alle fremden Einflüsse weise überwand und sich heimlichst von seiner Umwelt, vom musischen Geiste Wiens, inspirieren ließ. Dieses weitgestreckte Gebäuderechteck mit seinen achteckig-ovalen Pavillontürmen als ausbuchtende Seitenabschlüsse ist in prachtvoller Symmetrie zum Mitteltrakt hin emporgestuft. Von Norden nach Süden geht die Längsachse des Bauwerks, dessen Breitfront sich dem Beschauer, von Osten her gesehen, um ein Stockwerk niedriger als nach Westen zu bietet. Diese Optik ergibt sich, weil der Eingangsgarten östlicherseits mit dem Wasserbassin auf der gleichen Höhe wie das Schloß liegt, während es nach Westen zu in das abfallende Gelände eingebaut ist und, vom Hügelkamm herabblickend, den Terrassengarten überthront. Was die Silhouette des massigen und doch feingegliederten Palastes mit den Giebeln, Gesimsen und zur Mitte ansteigenden Dachlinien im Umriß ausdrückt, das bekundet sich auch im Detail. Ein Meister der Formbändigung hat dieses Bauwerk geschaffen, aber wir stehen im Hochbarock, und eine quellende Phantasie muß sich ständig Zügel anlegen, um nicht ausschweifend zu werden. Eine Fülle architektonischer Motive – Pilaster, Doppelpilaster, Doppellisenen, Gesimsverkröpfungen, die Statuen und Steintrophäen der Attiken, die geschweiften Giebel, die Durchfahrtsarkaden vor dem Hauptportal –: es setzt immer wieder in Erstaunen, wie organisch, anmutig und untheatralisch-vornehm diese Vielfalt der Formen sich dem Gesamtbilde unterordnet, wie die Meisterhand des „Stein-Dirigenten" sie der Komposition des Ganzen einzugliedern vermochte.

Für die innere Gestaltung seiner Friedensresidenz hatte Prinz Eugen den Franzosen Le Fort du Plessy bestellt. Aber auch in den Räumen ist überall der Geschmack Hildebrandts und seiner Wiener Handwerker zu spüren. An den Gewänden der Haupttreppe, deren abgeflachte Decke von Atlanten getragen wird und zu der ein mit schweren Karyatiden erfülltes Vestibül leitet, rankt sich ein versonnener und doch gebändigter Ziertrieb wunderreich empor. Auch der festlich hohe Hauptsaal, der durch den Staatsvertrag von 1955 jüngsten Glanz in der Geschichte Österreichs empfangen hat, ist zu seinem Spiegelprunk obendrein mit reich umzeichneten Oberlichtern geschmückt. Das stuckierte Gewölbe des Gartensaals ruht wieder auf vier Atlanten.

Untrennbar gehören zum Gesamtbild des Belvederes der Garten mit der lichtdurchbrochenen Anmut seiner schmiedeeisernen Gittertore, das große Bassin im Vorhof, die Treppen und Rampen, das Heckenwerk und die Beete an den Terrassenstufen. Für das Leben und Gedeihen dieses Gartens hat Prinz Eugen früh gesorgt durch das Wasser, das er kilometerweit von St. Veit an den Rennweg leiten ließ. Er ließ Pflanzen von weit her, exotische Gewächse sogar aus Persien, für seinen Garten kommen, er wollte aber auch das bunte Bild einer fremden Tierwelt um sich haben und belebte die Menagerie mit Raub- und Wildtieren, Löwen, Tigern, Auerochsen. Im Hafen von Ostende eingetroffene fremdartige Vögel voll Farbenpracht ließ der Feldherr ankaufen und nach Wien bringen.

Die Verhältnisse im Belvedere änderten sich schon unter der unmittelbaren Erbin des Prinzen Eugen, der Herzogin Victoria von Sachsen-Hildburghausen. Von ihr ging das Schloß 1752 in den Besitz des kaiserlichen Hofes über. Ein musealer

Schöne alte Bürgerhäuser „Am Hof". Nach dem Ende der Türkengefahr nahm Wien zum Ende des 17. und Beginn des 18. Jh.s einen ungeheuren Aufstieg. Neben den Prachtbauten des Adels schufen nun auch reich gewordene Bürger Wiens große Wohnhäuser mit schönen Renaissance- und Barockfassaden.

Ancient burghers' houses "Am Hof". With the end of the Turkish menace Vienna began to experience a steep rise at the end of the 17th and the beginning of the 18th century. Besides the palaces of the aristocracy, the enriched burghers built large houses with handsome Renaissance and Baroque façades.

Fort belles maisons patriciennes «Am Hof ". Après les guerres contre les Turcs, Vienne connut une grande période de prospérité. A côté des palais de l'aristocratie, les bourgeois de Vienne, devenus riches, construisirent de grandes maisons avec des façades en style de la Renaissance et du Baroque.

Der Andromeda-Brunnen im Hof des alten Rathauses. Raphael Donner schuf 1741 als Mittelstück der prächtigen Brunnenanlage im Bleirelief die Befreiung Andromedas durch Perseus. Der von Putten getragene Balkonbau stammt ursprünglich aus einem Haus in der Wollzeile.

Andromeda Fountain in the court of the old City Hall. The centre piece of this magnificent construction is formed by Raphael Donner's lead relief created in 1741 and representing Andromeda's deliverance by Perseus. The balcony, supported by putti, originally belonged to a house in the Wollzeile, a street in the old town.

Fontaine d'Andromède dans la cour de l'ancien Hôtel de Ville. La partie centrale est due à Raphaël Donner et le relief de plomb représente Andromède délivrée par Persée. Le balcon porté par des chérubins provient d'une maison de la Wollzeile.

Der Wiener Stadtpark zur Tulpenzeit mit dem Denkmal des Walzerkönigs Johann Strauß. Der große Stadtpark zwischen Parkring und Wienfluß wurde nach den Plänen der berühmten Gartenarchitekten Selleny und Siebeck nach der Niederlegung der Stadtmauern geschaffen und 1862 eröffnet.

Tulip time in the Stadtpark, monument of the "Waltz King" Johann Strauss. The famous garden architects Selleny and Siebeck created the park between the Ring and the Wien River when the city walls were levelled. It was opened to the public in 1862.

Le Parc municipal de Vienne, ou Stadtpark, à l'époque de la floraison des tulipes, et la statue de Johann Strauss, le roi, de la valse. Le grand Parc municipal est situé entre le Parkring et la rivière Wien. Il est dû aux célèbres architectes paysagistes Selleny et Siebeck; il fut ouvert en 1862 et se trouve sur l'emplacement des anciennes enceintes de Vienne.

Die Karlskirche auf dem Karlsplatz. Johann Bernhard Fischer von Erlach begann 1716 bis 1722, sein Sohn Joseph Emanuel vollendete 1723 bis 1737 diese bedeutendste Barockkirche Wiens.

St Charles' Church on the Karlsplatz. Begun by Johann Bernhard Fischer von Erlach in 1716 to 1722, and completed by his son Joseph Emanuel in 1723 to 1737, St Charles' is the most important baroque church in Vienna.

Eglise Saint-Charles, sur la Karlsplatz. Commencée de 1716 à 1722 par Johann Bernhard Fischer von Erlach et achevée par son fils Joseph Emanuel de 1723 à 1737. C'est la plus importante église baroque de Vienne.

Schleier fiel über die Altersresidenz des Prinzen Eugen, der hier seine letzten Lebensjahre in Muße, aber auch mit viel geistiger Beschäftigung verbracht hatte. Der Hof brachte 1771 die kaiserliche Gemäldegalerie im Oberen Belvedere unter. Das Museale wich um die Jahrhundertwende von 1900 noch einmal der lebendigen Geschichte, als der Thronfolger Franz Ferdinand im Belvedere seinen Wohnsitz nahm. 1924 wurde von der Ersten Republik Österreich die Galerie des 19. Jahrhunderts im Oberen Belvedere eingerichtet, nachdem ein Jahr vorher im Unteren Belvedere das Barockmuseum eröffnet worden war. In der ehemaligen Orangerie des Belvederes hat das Museum mittelalterlicher österreichischer Kunst einen würdigen Rahmen gefunden.

Wie einst, als es noch im freien Gelände des Wiener Vorortes Auf der Wieden lag, repräsentierte das Belvedere auch heute noch einen Kunst- und Lebensstil. Selbst das Gewaltsame und Pompöse des Barocks ist hier unter ein veredelndes Gesetz gezwungen, es scheint in jene natürliche Anmut entrückt, die ein Stigma des österreichischen Künstlertums ist.

Ernst Wurm

Maria am Gestade

O Maria am Gestade,
Birg dein Antlitz unterm Schleier.
Draußen vor dem Turmgemäuer
Rauscht der Strom der Welt vorbei.
Weh, die Welt ist ungerade,
Prasser leben lustbesessen,
Arme in der Not vergessen,
Daß noch eine Zuflucht sei.
Menschheit in der Wetterwolke
Treibet blind zum andern Ufer;
Tausend irregeführte Rufer
Gehen unter mit der Schuld.
Mutter, weine mit dem Volke,
Daß die Zweifler und die Sünder
Betend öffnen ihre Münder
Und sich beugen deiner Huld.

O Maria, voll der Gnade,
Leuchtende im Fensterbogen!
Halte vor dem Wurf der Wogen
Deine Hände schmerzensbleich.
Schirm uns, daß kein Feind uns schade,
Hilf uns! Auch den letzten lade
An dein heiliges Gestade,
Liebe Frau von Österreich.

Paula Grogger

Die Gärten Wiens

Die Gartenarchitektur bedient sich der zauberhaftesten Elemente, die die Schöpfung uns bereitgestellt hat, die freilich zum Teil auch die zartesten, hinfälligsten und vergänglichsten sind. Aus diesem Grund tragen wohl auch die Gärten sehr wenig zur Kulturgeschichte bei, viel weniger als die Bauten und Skulpturen aus Stein. Was sie sind, das sind sie nicht ein für allemal. Sie sind einer dauernden Wandlung unterworfen, die sich ganz allmählich und ohne Zäsuren vollzieht.

Was ist nun die Eigenart der Gärten von Wien? Gibt es etwas, das typisch österreichisch ist? Wir stehen im Ruf, eine glückliche Hand beim Ausgleich von Gegensätzen zu haben. Vielleicht liegt es daran, daß auch die Gartenkunst von Wien – von Ausnahmen abgesehen – eine Kunst der Synthese ist. Man hat sich nicht festgelegt, man läßt dieses und jenes gelten, fügt unbekümmert hinzu oder wandelt ab und bringt da und dort Mirakel zuwege, daß etwas mit einem eigenen Gesicht entsteht. Große Ähnlichkeit mit dem englischen Garten hat der vornehme Türkenschanzpark, der sich weitläufig hinzieht. Hier ist sehr viel Landschaft mit hineingenommen, mit Hügeln, mit Teichen, mit Sträuchern und alten Bäumen, die scheinbar dastehen, wie es ihnen beliebt. Die Gepflegtheit, die man allerorts spürt, wirkt unaufdringlich wie ein herbes Parfum – ein Hauch von Juchten oder von Peau d'Espagne. Ganz zwanglos, mit gemäßigtem Schwung führen Wege hügelauf und hügelab. Der Rasen hat allerdings noch nicht soviel Lebenskraft und Tradition, daß man darüber gehen kann – oder Wien ist nicht englisch genug, daß man es darf.

Französisch gibt sich der Schloßgarten von Schönbrunn mit seinem denkmalhaften, beinahe gemeißelten Stil, und doch ist über seine Pflanzenornamente so viel Charme versprüht, daß man ihn riecht. Es gelingt ihm letzten Endes nicht, steinern und mathematisch zu sein. Man merkt es ihm noch an, daß seine Bäume atmen, daß sie wirklich leben und wirklich vergänglich sind.

Noch französischer als Schönbrunn ist der Garten beim Schloß Belvedere – so sehr, daß er uns eigentlich nicht mehr liegt. Vielleicht ist darin der Grund zu suchen, daß er immer ein wenig leer und verlassen wirkt, wie eine gute Stube, die ordentlich aufgeräumt ist, die man herzeigt, in der man aber nicht gerne wohnt. Bewohnt und oft überfüllt sind die Gärten am Rand der Innenstadt, der Volksgarten, der mit seinem Rosenwunder alljährlich einfach alles überblüht, was bei genauer Betrachtung den Eindruck erweckt, mit Zirkel und Lineal gezogen zu sein, der Rathauspark mit seinem exotischen Reiz, mit seinen flammenden Rhododendronbüschen, der Stadtpark, der tapfer an einer Stelle grünt und blüht, wo Wien schon wieder aufhört, schön zu sein. Bei ihnen ist die Synthese geglückt, der Ausgleich von Gegensätzen, von dem die Rede war. In jedem ist alles zu finden – die strenge, klare Architektur und der Winkel, den man scheinbar vergessen hat und wo im Dickicht des Buschwerks die Kinder spielen. Diese Gärten sind am allermeisten wienerisch, am allermeisten von unserer Art und aus diesem Grund – so uns – so besonders schön.

Hannelore Valencak

Schicksal und Geheimnis der Stadt

Symbolhaft für ihr Schicksal ist die Lage der Stadt Wien: im Westen angelehnt an ein sanft abfallendes Gebirge, mit dem sie aufs innigste verknüpft ist, das aber gleichzeitig ihrem Vordringen nach dieser Seite hin kein schroffes, aber doch ein vernehmliches Halt entgegensetzt; nach Norden, Osten, Süden hin ausgebreitet auf einer Ebene, die ihrem Wachsen keine Schranken errichtet, sondern völlig offen und scheinbar wehrlos ihrem Umsichgreifen ausgeliefert ist. Ähnlich hat der Westen Österreichs – also praktisch alle österreichischen Länder – sich immer gewehrt, den Einfluß und die Bedeutung Wiens zu groß werden zu lassen, während die Länder nördlich, östlich und südlich von Wien weitaus bereiter waren, sich dem Einfluß dieser Stadt zu beugen, ja sich diesem Einfluß ganz zu öffnen. Wer immer das Antlitz der österreichischen Städte prüft, der wird finden, daß Wien dem Beschauer nicht aus dem Stadtbild von Innsbruck oder Graz, Salzburg oder Bregenz, Klagenfurt oder Linz entgegenblickt, sondern diese Städte ihr ganz persönliches, individuelles, in keiner Weise von Wien geformtes Antlitz besitzen; was nur ein Zeichen dafür ist, wie wenig diese Städte von Wien beeinflußt oder gar abhängig sind. Wer aber dagegen das Gebiet der ehemaligen Monarchie durchstreift, dem wird dieses Antlitz aus den Städtebildern von Agram und Kaschau, von Lemberg und Sarajewo, von Budapest und Reichenberg, von Brünn und Pola entgegenblicken. Sie sehen Wien ähnlich, wie Töchter ihrer Mutter ähnlich sehen.

Österreich wurde einmal als ein Lehen „zur gesamten Hand" vergeben. Das heißt Österreich wurde nicht an einen einzelnen Herrscher, sondern an eine ganze Familie verliehen, mit der Wirkung, daß die Mitglieder der Familie sich untereinander die Herrschaft teilen konnten. Ein Rest von diesem historischen Faktum ist heute noch in der Beziehung Wiens zu den österreichischen Städten und den Ländern, die diese repräsentieren, übriggeblieben. Denn diese Beziehung gleicht sehr derjenigen von Schwestern untereinander: eifersüchtig auf die zuerst geborene, argwöhnisch darauf bedacht, daß sie ihnen nichts von ihrem eigenen Leben nehme, bereit, sie nur als „Erste unter Gleichen" anzuerkennen und damit ihre Rechte auf ein Mindestmaß zu beschränken, sind sie – aus ihrem schwesterlichen Denken heraus – anderseits wieder bereit, in Familienangelegenheiten mit ihrer älteren Schwester zusammenzugehen und bei ihr Rat und Schutz zu suchen. Vor allem aber mit ihr weiterhin im schwesterlichen Verband zu bleiben.

So liegt Wien einerseits zwischen Ländern, die eine tiefe Zuneigung zu ihm haben, wie Kinder zu ihrer Mutter. Kinder, die sich trennten von ihrer Mutter. Und anderseits zwischen Ländern, die eine große Abneigung gegen Wien haben, wie Schwestern zu der Erstgeborenen. Und die bei ihr blieben, wie Schwestern beisammenbleiben.

Die einen, die weggingen, träumen von ihr, und die andern, die blieben, leben mit ihr: Wien zwischen Traum und Leben.

Die Unvollendete heißt eine der schönsten Schöpfungen Schuberts. Dieses gleiche Wort – die Unvollendete – könnte über Wien gesagt werden. Denn alles an ihr ist irgendwie unvollendet. Mag es sich um Bauten, um Ideen, um Menschen handeln. Um Bauten: Die Stephanskirche mit ihrem nicht ausgebauten Turm, die Hofburg

Kaiser Franz Josephs, das Stift Klosterneuburg – der österreichische Escorial – sind unvollendet. Und ebenso blieben es die Ideen eines Karl VI., eines Prinzen Eugen von Savoyen, eines Metternich, eines Thronfolgers Franz Ferdinand. Auch die Pläne wirtschaftlicher, sozialer, politischer Natur innerhalb der Ära Franz Josephs, sie alle blieben unvollendet. Und gar die Menschen: entweder bleiben sie „stecken", weil sie zuwenig Mut zu sich haben. So wurde aus einem Dichter Raimund kein Shakespeare, aus einem Feldmarschall Daun kein Friedrich von Preußen, aus einem Erzherzog Karl kein Napoleon. Oder ihre Werke bleiben „stecken", weil ihre Schöpfer zu früh sterben, mag es sich um einen Joseph I., einen Karl VI., einen Prinzen Eugen, einen Ministerpräsidenten Schwarzenberg, einen Lueger, einen Seipel handeln. Die Unvollendete, immer wieder die Unvollendete. Was bleibt, ist ein Provisorium, von dem es in Österreich heißt, daß es das einzige sei, was in diesem Lande Bestand habe. Aber ist das Leben – von einem nicht irdischen Standpunkt aus betrachtet – nicht selbst ein einziges Provisorium, ein Übergang? Und kann es – von dem gleichen Gesichtspunkt aus – denn auf dieser Welt jemals etwas Vollkommenes geben, oder wird nicht vielmehr auf ihr alles unvollendet bleiben müssen? Vielleicht ist dieses Schicksal von Wien – die Unvollendete zu sein – deshalb gar nicht so bedauerlich. Und ist dieses ihr Schicksal sogar das Geheimnis ihres besonderen Charmes, so wie der unvollendete Stephansdom – wahrscheinlich – schöner ist als der ausgebaute, die unausgebaute Hofburg – sicherlich – schöner als die vollendete, die „steckengebliebenen" Menschen menschlicher als die vollkommenen – und brutalen – Renaissancefiguren.

Schicksal und Geheimnis von Wien: zu wissen, daß man nach Vollendung ringen muß, aber auf dieser Welt sie nie erreichen kann. „Hoffen wir auf das Beste", sagen die Wiener, „und seien wir auf alles gefaßt." Oder: Wien zwischen Traum und Leben.

Wer an einem klaren Tag vom Leopoldsberg hinab auf Wien und seine Umgebung schaut, erblickt einen der neuralgischen Punkte der Welt. Bis hierher, bis zur Donau, gelangten die Römer. Bis zur Senke von Preßburg der Vorstoß der Germanen im 10. Jahrhundert, und der Vorstoß der Mongolen im 13. Jahrhundert. Der Vormarsch der Türken kam über Wien nicht hinaus und ebensowenig der Vormarsch der Schweden unter Torstenson im Dreißigjährigen Krieg. König Przemysl Ottokar II. von Böhmen verlor 1278 auf dem Marchfeld vor den Toren Wiens Leben und Reich und Kaiser Napoleon I. bei Aspern den Nimbus des „Unbesiegbaren". Die Hussiten, die aufständischen böhmischen Stände zu Beginn des Dreißigjährigen Krieges – sie gelangten bis Wien und nicht weiter. Der preußische Vormarsch im Jahre 1866 hörte bei Floridsdorf, dem heutigen 21. Wiener Gemeindebezirk, auf, und der Vormarsch der Russen und Westmächte im Jahre 1945 hörte praktisch ebenfalls bei Wien auf. Die stärksten Revolutionen des Kontinents griffen nach dieser Stadt, gingen wie ein Fieberschauer durch ihren Körper, ohne von ihr dauernd Besitz ergreifen zu können. Die erfolgreichsten Revolutionäre, wie Hitler, Masaryk, Stalin, Trotzki, Pilsudski, verließen sie unmutig, nachdem sie entscheidende Jahre ihres Lebens in ihren Mauern verbracht, von ihr gelernt hatten – und von ihr nicht zur Kenntnis genommen wurden.

Welches Geheimnis besitzt diese Stadt, daß die stärksten Mächte, die um sie, die schwache, ringen, unter ihren Augen ihren Nimbus verlieren, ihre Macht zuschanden wird? Welches Geheimnis besitzt diese Stadt, die zwischen 1945 und 1955, da die Mächte der Welt sich feindlich gegenüberstanden, es zuwege brachte, daß deren Vertreter gemeinsam als „Vier in einem Jeep" durch ihre Straßen fuhren, einander jede Woche trafen, fast immer zankten, selten einig waren und doch wieder auseinandergingen mit dem Vorsatz, einander immer wieder zu treffen? Welches Geheimnis besitzt diese Stadt, die es einst vermochte, acht, elf, ja sechzehn und mehr Nationen in einem Reich friedlich zu vereinen? Das Geheimnis dieser Stadt Wien – eines ihrer Geheimnisse – ist, daß sie etwas sehr Mütterliches an sich hat. Man fühlt sich, woher immer man kommt, bei ihr „zu Hause". Und wie eine gute Mutter, will sie nicht, daß in ihren Mauern Unfrieden herrscht und Gewalt, sondern daß zumindest unter ihren Augen die Gewalt ihren Nimbus verliert, die Menschen sich vertragen. Und wie eine Mutter will sie immer versuchen, auch die schlechtesten Situationen zum Guten zu wenden.

Es ist ein sehr mütterlicher Traum, dieser Traum Wiens vom Frieden und vom Guten. Ein Traum, den es ihr nur zu oft gelungen ist, in das Leben umzusetzen. Wien: Schicksal zwischen Traum und Leben.

Willy Lorenz

Vom Wesen der Wiener

Diese Stadt muß wie ein kostbares Nachessen, langsam, Stückchen für Stückchen, mit Prüfung ausgekostet werden, ja du mußt selbst ein solches Stückchen geworden sein, ehe der ganze Reichtum ihres Inhaltes und die Reize ihrer Umgebung dein Eigentum geworden sind. Nur der langsamen und anhaltenden Beobachtung gibt sie sich hin, aber dann tief und innig und nachhaltend. Darum geht mancher von hier fort und trägt nichts mit als ein Getümmel in seinem Kopfe. Erst lerne jene Öde überwinden, die dich fassen wird, wenn du täglich aus deiner Wohnung gehst und täglich andere Menschen auf der Gasse siehst; wenn du an Orten der Freude bist, und alles um dich braust und jubelt, ohne sich um dich zu kümmern, daß es dir fast gespenstisch einsam wird – harre nur, gehe immer aus, sei immer hier, werde gemach einer aus ihnen, und siehe, in geheimer Sympathie wirst du alle auf der Gasse erkennen, ja so erkennen, daß du den Fremden sogleich herausfindest. Sie werden überall mit dir reden, sie werden dich einladen, sie werden dir Freude zuteilen; denn du bist jetzt einer der Ihren, sie erkennen dich, und geben sich dir – und wie du auch jetzt befremdet auf die Häuser hinabsiehst, wer weiß, ob nicht in einem derselben noch im süßesten Morgenschlummer die zwei Augen zugedeckt sind, in deren Himmel du rettungslos versinken wirst, daß du dann die Stadt ein Paradies heißest, die dich jetzt noch mit so widerstrebenden Elementen anfaßt; – und hüte dich nur, man trägt hier wunderschöne Augen, und von der Herzensliebenswürdigkeit der Wiener haben die Frauen einen mächtig großen Teil empfangen.

Adalbert Stifter

Vergangenheit in der Mariahilfer Straße

Nur selten fragt sich ein Besucher der kaiserlichen Gemächer in der Wiener Hofburg oder im Schloß Schönbrunn, ob die Ausstattung dieser Säle und Zimmer, Salons und Kammern stets die gleiche gewesen ist, ob die Enkel in Urgroßvaters Möbeln wohnten oder ob die Einrichtung von Zeit zu Zeit ausgewechselt worden ist. Und wenn dies der Fall war – wo mögen dann die historischen Möbel aus kaiserlichem Besitz hingekommen sein? Denn schließlich ist doch anzunehmen, daß auch in den Schlössern der Herrscher sich so wie anderswo die ablösende Generation eine ihrem eigenen Lebensstil und Geschmack entsprechende Umgebung geschaffen hat. Und wer so denkt – nur selten tut dies einer –, hat recht. Wo aber kamen die unzeitgemäß gewordenen, ehemals kaiserlichen Möbel, soweit sie nicht in einer Hofkanzlei ihr Ausgedinge fanden oder sonstwo noch verwendet werden konnten, dann tatsächlich hin?

Die Antwort lautet: Sie kamen seit Maria Theresias Tagen in das von der Kaiserin gegründete, vorerst am Wiener Ballhausplatz errichtete „k. k. Hofmobiliendepot", für das dann Kaiser Franz Joseph I. im Jahre 1901 ein neues Gebäude schaffen ließ, das 520.000 Kronen kostete und noch heute – hinter einer Geschäftshausfassade, hinter der man dergleichen gar nicht vermuten würde – besteht. Es befindet sich im 7. Wiener Gemeindebezirk, im Hoftrakt des Hauses Mariahilfer Straße 88 und birgt den Großteil kaiserlicher Möbel, die man – nach dem unersetzlichen Verlust kostbarster Einrichtungen aus der Gotik und Renaissance – seit etwa 300 Jahren aus den Beständen der kaiserlichen Schlösser, wie etwa aus der Hofburg, aus Schönbrunn, Hetzendorf, dem Belvedere, Augarten, der Residenz Salzburg, dem Schloß Hellbrunn, der Hofburg Innsbruck, aus Ambras, Schloßhof Eckartsau, Miramar, aus der Hofburg auf dem Prager Hradschin und anderen Schlössern gesammelt hat. Und so trägt das Hof- bzw. Bundesmobiliendepot denn auch mit vollem Recht nunmehr den Namen „Bundessammlung alter Stilmöbel".

Es ist eine erlesene Schau, die sich dem Besucher hier gegen ein kleines Entgelt in zwei Stockwerken und in großen Sälen und endlos scheinenden Zimmerfluchten darbietet. Den Ausstellungsräumen sind – dem öffentlichen Besucher nicht zugänglich – Werkstätten zugeordnet, die für die Pflege und Restaurierung des wertvollen Mobiliars sorgen, das die Mittel für seine Erhaltung sozusagen selbst verdienen muß. Denn die Möbel werden gegen eine entsprechende Gebühr verliehen: für Staatsempfänge, für Filmaufnahmen, für besondere Bankette und dergleichen. So schlief beispielsweise der abessinische Kaiser Haile Selassie anläßlich seines Staatsbesuches in Österreich im weißgoldenen Barockbett Feldmarschall Radetzkys. Und so wurde an einem Tisch der Sammlung, den man im Jahre 1955 eigens dazu in das Schloß Belvedere bringen ließ, der Österreichische Staatsvertrag nach dem Zweiten Weltkrieg unterzeichnet.

Wer die riesige Schausammlung, in deren Vorraum eine von Maria Theresia benützte heizbare Sänfte steht, betritt und sie durchschreitet, fühlt sich bald der Zeit entrückt und in die Vergangenheit versetzt. Und es ist nicht nur eine Vergangenheit des kaiserlichen, sondern auch eine des vornehmen bürgerlichen Stils. Denn mancher Herrscher hat – und dies besonders im Biedermeier – gerne behaglich gewohnt. Daher enthält das Bundesmobiliendepot eine der größten Biedermeier-Möbelsammlungen der Welt, und zwar Einrichtungen aus allen Epochen des Biedermeier und sogar aus seiner Vermählung mit dem Empire: und dies nicht nur in Einzelstücken, sondern in kompletten Zimmern. Da gibt es eine Zimmerflucht, in der ein Salon, ein Wohnzimmer und ein Schlafzimmer mit einem als Kinderzimmer eingerichteten Alkoven präsentiert. Da gibt es ein Jausenzimmer und ein Jagdzimmer. Und jedes dieser Zimmer ist mit einer echten Biedermeiertapete bespannt. Man könnte jeden dieser Räume sofort bewohnen, so komplett eingerichtet sind sie: geschmückt mit Bildern und Gegenständen des täglichen Gebrauchs, geziert mit Porzellan, Gläsern, Leuchtern, Kissen und Deckchen. Da gibt es ferner die berühmten Geier-Möbel – benannt nach ihrem Tischler – aus dem Schloß Ambras bei Innsbruck und das typische Biedermeier aus der Zeit des Wiener Kongresses. Zudem begegnet man reichem Mobiliar in der reizvollen Verschnörkelung des Barocks und Rokokos, einem Musikzimmer im Directoire-Stil und Tasteninstrumenten aus verschiedensten Zeiten: darunter einem sogenannten Harfen- oder Giraffen-Klavier, das seinen seltsamen Namen seinem orgelkastenähnlich aufgestellten, schmalhalsig endenden Resonanzschrank verdankt. Auch ein „Fluchtkasten", dessen mittlere Tür den Ausweg in einen Geheimgang bot, erweckt Interesse. Außerdem findet man das der Kaiserin Elisabeth anläßlich ihrer Vermählung von der Wiener Tischlerinnung gespendete „Hochzeitsbett" in der Sammlung: ein Möbelstück, das begreiflicherweise – da zu jener Zeit die Zimmer der zukünftigen Kaiserin bereits eingerichtet waren – niemals gebraucht wurde. Ihm reiht sich der „Umstandssessel" der Kaiserin an. Dann steht da der Rollschreibtisch Kaiser Josephs und das Arbeitszimmer Kaiser Franz I., dem der Gerätekasten mit den Gartenwerkzeugen des Kaisers benachbart ist. Denn zu jener Zeit bildeten sich die Angehörigen des Herrscherhauses jeweils in einem Handwerk aus. Mit diesen Sicheln und Scheren strich also eine blaublütige Hand über den mit Veilchen und Gänseblümchen bestickten Rasen. Andere Blumen und Blätter als jene, die der Rechen des Kaisers berührte, erblühen aber an den Lustern aus Meißner Porzellan, mit deren Blüten, Lianen und Girlanden die Formen der aus Edelhölzern, Steinen und Metallen gelegten Intarsien auf Tischplatten und an Möbelwänden wetteifern. Aus gelbem und rotem Elfenbein schimmert Prinz Eugens Reiseschach von einem Tischchen. Eine zierliche Wiege schaukelt neben dem Kindersessel und Kinderklavier, die der kleine Kronprinz Rudolf benützte. Die Räder des fahrbaren Krankenstuhles, in dem Kaiser Franz vergeblich auf Genesung wartete, erinnern an die schweren Räder jener hohen Karren, mit denen einst die chinesischen Reisbauern durch ihre überschwemmten Felder wateten. Dann steht eine Büste Marie Antoinettes da, schaut Kaiserin Elisabeth aus einem Bild und läßt durch ihren rätselhaften Blick das Seltsame ahnen, das ihrem Wesen anhaftete. Von ihm legt auch ihr Schreibtisch aus Laxenburg Zeugnis ab, den sie selbst entworfen hat: abwegig im Vergleich zu dem damals herrschenden Makartstil, mit einem Pferdehuf als Briefbeschwerer und mit zwei kleinen Holzschnörkeln rechts und links, die ehemals für Blumentöpfe bestimmt waren. Und inmitten all dieser Reichtümer steht der prunkvolle Kaiserthron aus der Hofburg.

Herbert Strutz

Wien, die Stadt im Grünen

Ja, die Gärten! Der Westen hat seine Hänge und Hügel, Wälder und Weinberge, der Osten seinen Prater, seine Lobau. Aber das zentralere Wien hat seine Gärten; mitten im steinernen Starren der Großstadt diesen milden Glanz halber Ländlichkeit, jene erlösenden Inseln der Naturbezogenheit, die Wien jenen Duft, jene Aura des südlich Üppigen geben und jenen unvergleichlichen Wiener Frühling, der seinen Flieder- und Jasmingeruch leise durch alle Gassen trägt. Sind sie, in ihrer zarten Gewalt über uns, nicht die Verklärungen eines großen Herzens? Sie, Refugium der Vögel und Blumen, Paradies der Kinder und Alten, Dorado der Flanierer und Träumer, Zuflucht der Liebenden und Dichter? Diese Seen, Ströme, Kaskaden aus Grün! Burg- und Volksgarten, Botanischer, Belvedere- und Schwarzenbergpark! Schönbrunn, du stehengebliebenes Wunder unserer Kinderträume! Menagerie und Gloriette, Schloß und Kammergarten! Gehn wir nicht wieder wie damals, ehrfürchtig beklemmten Gefühls, vorbei an den steinernen Göttern in der stillen Allee? Im blauen Matrosenanzug, drei weiße Sterne auf dem hellblauen Kragen? Ach, du versunkenes Wien des Knaben, Wien des Kaisers: Wie stehst du immer wieder auf im Angesicht der altvertrauten Wege und Ruhebänke, wo weißbärtige Herren in etwas altväterischen Röcken mit unendlicher Geduld und Würde zudringlich-scheue Vögel füttern.

Unsäglich zauberhafter Blick vom oberen Belvedere, hinein ins Häusermeer, darüber die Türme und Kuppeln ragen aus der Ferne, blaßblau und wellig weich, die Kontur des Kahlenberges grüßt!

Kahlenberg: Er grüßt von überall. Er steht uns in die Gassen hinein. Er oder einer seiner Brüder. So grau kann keine Straße sein: Am End wächst eine grüne Mauer auf und schließt den Schmerz. Als wollte lebendige Natur uns immer wieder bezeugen, daß sie uns nicht zu verlassen gedenkt, daß ihre Genien uns schützen wollen, Genien der Wälder, des Stromes, des Weins. Jenes Weins, der immer noch wächst, vom Nußberg bis nach Ottakring, kein allzuschwerer Tropfen, aber voll Seele der Wiener selbst. Und der Wiener weiß schon, was er an seinem Wein hat und wo für ihn der richtige zu haben ist. Da ist er überall zu Haus, in Grinzing, Sievering, Neustift. Und weil da noch alles beim alten ist, die dörflichen Gassen und Giebelhäuser, die breite Einfahrt, der Nußbaum im Hof, das Windlicht auf dem Tisch und oben hoch die Sterne: weil das noch alles beim alten ist, zieht es ihn so dahin. Da kann der kleine Mann Harun al Raschid sein. Man kennt ihn draußen nicht so gut wie drinnen auf seinem „Grund". Er lebt ja dort drinnen auch eigentlich in einem Dorf, wo jeder jeden kennt bis in das Geldbörsel hinein. Denn Wiens Bezirke sind ja zumeist zusammengewachsen aus dörflichen Gemeinschaften, was aus Grundnamen wie Altmannsdorf, Gumpendorf noch zu ersehen ist. Jedes dieser kleinen Gemeinwesen ist auch, trotz der Zusammenfassung der Gründe in Bezirke und der Bezirke in die Gesamtheit der Großstadt, eigentlich unter sich geblieben, jedes immer ein bißchen anders als das nächste, jedes seiner Eigenart treu bis in die feinen Unterschiede der Mundart hinein, in den ureigenen Heimatlaut.

Josef Weinheber

Die Gartenseite des unteren Schlosses Belvedere. Das Untere Belvedere wurde 1714 bis 1716 vom Baumeister Lukas von Hildebrandt als Sommerschloß des Prinzen Eugen erbaut.

Garden front of the Lower Belvedere Palace. The Lower Belvedere was built by the architect Lukas von Hildebrandt between 1714 and 1716 as a summer residence for Prince Eugene of Savoy.

Le Belvédère inférieur côté jardin. Résidence d'été du prince Eugène de Savoie, le Belvédère inférieur fut construit de 1714 à 1716 par Lukas von Hildebrandt. Les styles de la Renaissance italienne et du Baroque français se fondent l'un dans l'autre dans le magnifique arrangement des jardins et des terrasses.

Blick vom Oberen auf das Untere Belvedere und Wien: Nach den großen Siegen über die Türken ließ sich der geniale Heerführer Prinz Eugen von dem Barockmeister Lukas von Hildebrandt 1721–1723 vor den Stadtmauern von Wien das Sommerschloß Belvedere erbauen. Der Schöpfer der Gartenanlage war der Pariser Gartenarchitekt Dominique Girard.

View from the Upper to the Lower Belvedere Palace and the city of Vienna. After his great victories over the Turks, the famous warrior Prince Eugene of Savoy commissioned the great Baroque architect Lukas von Hildebrandt to built the summer residence Belvedere beyond the city walls (1721 to 1723). The Parisian garden architect Dominique Girard created the formal garden.

Vue prise du Belvédère supérieur sur le Belvédère inférieur à Vienne. Après ses grandes victoires dans les guerres contre les Turcs, le génial chef d'armée qu'était le prince Eugène de Savoie fit construire sa résidence d'été de 1721 à 1723 par le maître du Baroque Lukas von Hildebrandt. Ce château se trouve aux portes de Vienne. Les jardins sont dus à l'architecte parisien Dominique Girard.

Vorfrühling in Schönbrunn

Schwimmendes Frühlicht und Reif im Schatten.
Damals war Sommer, lange ist's her.
Kunstvolle Schnörkel auf stillen Rabatten,
nackte Erde, braun in dem matten
Grün der Parkette, und blumenleer.

Schwarz in dem strengen Schnitt der Alleen
knorplig verkrüppeltes Astgeschling.
– Ewig verklungenem Kinderflehen:
„Mutter, ich möcht' die Giraffen sehen . . ."
schwebte zur Seite ein Schmetterling.

Marmornes Fischweib, der Flut entwunden,
– golden huschten die Fische darin –
schützt mit dem Arme den Blick der runden
Steinaugen, sinnlos und stolz gebunden
in die Gebärde seit Anbeginn.

Grotte des Meeresgotts. Heilige Rosse
spielen versteint auf geschwungenem Wall.
Muschel und Dreizack, Felsen und Flosse,
– blau stand der Himmel über dem Schlosse,
wunderbar blau wie nur dazumal.

Zart und zerbrechlich, wie nun von droben
die Gloriette herniedergrüßt.
Fürstlicher Traum, in den Himmel gehoben,
laß mit den Augen des Knaben dich loben,
dem du ein Wunder gewesen bist.

Kinder spielen mit Ball und Reifen
mütterbewacht in der stillen Allee.
Frühling wird, kann es das Herz nicht begreifen?
Marmorweiß stehen die Götter in steifen
Tuniken, zeitlos in Wonne und Weh.

Josef Weinheber

Gesamtansicht des oberen Schlosses vom Unteren Belvedere. Das Schloß füllt die ganze Breite des Parks aus. Durch künstlerisch hervorragende Ausnützung des ansteigenden Geländes entstand einer der schönsten Gärten Europas. Schöpfer war der Pariser Gartenarchitekt Dominique Girard.

View of the upper palace from the Lower Belvedere. The palace extends the full width of the park. By making artful use of the ascending terrain, the Parisian garden architect Dominique Girard created one of the most beautiful gardens in Europe.

Vue générale du Belvédère supérieur, prise du Belvédère inférieur. Le château s'étend sur toute la largeur du parc. Aménagé en tenant compte de la déclivité du terrain, c'est un des plus beaux jardins d'Europe, œuvre de l'architecte parisien Dominique Girard.

Park und Wasserspiele von Schönbrunn

Wasser – das variable proteushafte Element . . . Der Mensch hat es von jeher zu seinem Gefährten gemacht, und seine Geschichte ist nicht zum geringsten Teil die Geschichte seines Umgangs mit dem Wasser. Sicher waren Quellen und Brunnen die ersten Orte, an denen sich früheste Ordnungen festsetzten, wo sich Herrschaften bildeten und zu behaupten versuchten. Zur Figur königlicher Macht gehörte stets auch die Botmäßigkeit über das Wasser, und das Spiel, mit dem Wasser, das Wasserspiel, zum Kennzeichen fürstlichen Reichtums und absoluter Souveränität.

Aber zum Brunnen gehört auch der Garten, das bewässerte Areal, der festumfriedete private Raum im Freien. Der Garten ist das Sinnbild sorglos glücklichen Lebens. Nicht umsonst siedelte die Genesis die selige Urheimat des Menschen in dem von vier Strömen durchflossenen Lustgarten Eden an. Diesen Urtraum vom Paradies suchte jede etablierte Macht von neuem und auf irgendeine Weise für sich selbst zu verwirklichen. So bekleidet sich der Absolutismus im Zeitalter des Barocks nicht nur mit ausgedehnten Prunkbauten, sondern breitet sich auch in riesigen Parkanlagen aus. Ganze Landschaften werden einplaniert, in Rechtecke, Quadrate, Rosetten zerlegt. Das streng symmetrische Ornament geht entweder vom Schloß aus oder schließt das Schloß als Zentrum ein. Der barocke Garten ist ein Teil der Architektur. Selbstverständlich wird hier kein Wildwuchs geduldet. Bäume und Büsche werden zu Blöcken, Kegeln und Kugeln verschnitten, die Blumenbeete zeichnen strenge Ornamentik nach. Doch damit das Bild nicht zu starr werde, bezieht man das Wasser als belebendes Element mit ein: Fontänen werfen weiße Wasserschleier empor, Teiche spiegeln, Tritonenmäuler speien, über die Ränder schön geschwungener Schalen sprudelt der Überfluß.

Die Kunst, Wasserspiele anzulegen, kam, wie die Gartenkunst im ganzen, aus Italien zu uns. Das erste Beispiel eines in dieser Hinsicht reich ausgestatteten fürstlichen Parks diesseits der Alpen ist der bischöfliche Schloßgarten von Hellbrunn. Er wurde in den ersten Jahrzehnten des siebzehnten Jahrhunderts angelegt, galt damals für eine Art Weltwunder und gilt auch heute noch für eine der bedeutendsten Sehenswürdigkeiten von Salzburg. Was dem Fürstbischof Marcus Sitticus recht war, mochte – am Ende des Jahrhunderts, nach wieder einmal glücklich abgewendeter Türkengefahr – dem Kaiser zu Wien nur billig erscheinen. Dem höheren Rang entsprach auch das unvergleichlich größere Vorhaben; denn unterdessen war auch im fernen Versailles ein ungeheures Unternehmen in Gang gekommen. Der Sonnenkönig Ludwig XIV. ließ sich jenes Lustschloß errichten, das zum sinnfälligsten Ausdruck der absolutistischen Epoche und zum Vorbild aller barocker Schloßbauten wurde. Habsburg wollte nicht zurückstehen.

Weit vor den Toren des alten Wien, mitten im Wald, auf sandigem Boden, stand ein kleines bescheidenes Jagdschlößchen, Schönbrunn genannt. Daneben war ein „Thier- und Fassangarten" angelegt, ein Meierhof, eine Mühle. Kaiserlicher Besitz. 1695 erteilte nun Joseph I. seinem persönlichen Lehrer „in Zivilarchitektur", Fischer von Erlach, den Auftrag zum Entwurf „eines Luscht-Schlosses", wohl nicht, ohne dem Künstler zu versichern, daß es sich hier um ein großes, einmaliges Projekt handle: es sollte mit dem sagenhaften Versailles wetteifern können. Mit Begeisterung stürzte sich der Künstler in seine Aufgabe, und schon die ersten Pläne, die er zeichnete, gehören noch heute zu den kostbarsten Dokumenten mitteleuropäischer Architekturgeschichte.

Es ist nun überaus typisch, wie Fischer vorgeht. Sicher waren ihm die Pläne von Versailles bekannt. Hatte er etwa vor, sie zu kopieren? Keineswegs. Während sich die Fassade des Versailler Schlosses über einem großen Hof erhebt und über diesen hinweg mit der Ortschaft verbunden ist und das Schloß selbst wie eine Barriere vor dem eigentlich königlichen Bereich, dem riesigen Freilichtlustsaal des Parks liegt, will Fischer das Schloß in die Ferne und Höhe schieben, will es entrücken und gleichsam als himmlisches Jerusalem dem Licht entgegenheben. Ein System mächtiger Rampen soll die Hänge gliedern und stufen. Nur langsam, auf Umwegen dürfte sich der Ankommende dem Zentralbau und damit der Majestät nähern. Immer höher führe ihn der Weg empor, immer weiter bleibe die niedrige profane Welt hinter ihm zurück. Hier wirken Vorstellung vom Heiligen Reich, vom Sacrum imperium nach, dessen höchster weltlicher Vertreter in der Figur des Kaisers zu verehren ist. Das Haus des Cäsars wird zur himmlischen Burg, und wie – nach ikonographischen Überlieferungen – die Brunnen des Lebens aus den Fundamenten der Heiligen Stadt sprudeln, so möchte auch Fischer dem Hang mächtige Quellen entspringen lassen: in weißgischtendem Schwall sollen sie über Kaskaden springen und sich in großen Becken sammeln, auf deren Fläche das Spiegelbild der Residenz in geheimnisvoller Doppelung erscheine. – Soweit die Vision.

Aber der pathetische Entwurf scheiterte. Er war – zweifellos – für die Finanzkraft des Staates überdimensioniert. Habsburg konnte es sich eben doch nicht leisten, mit dem vierzehnten Ludwig an Prachtentfaltung zu wetteifern, geschweige denn ihn zu übertreffen. Der Plan wurde geändert, gestutzt und auf ein Maß gebracht, das, immer noch großzügig genug, im Verhältnis zum ersten Entwurf beinahe karg wirkte. Das Schloß wanderte von seinem Hügel herab, das System der prächtigen Auffahrtsrampen wurde kassiert. Nur die große Kaskade wurde übernommen, aber ihres ursprünglichen Sinnes entkleidet. Sie ist nicht mehr Quell, der aus dem heiligen Berg entspringt, Symbol des Heiles, das von seiner Höhe ausgeht. Sie erhält ihren Platz hinter dem in die Ebene verpflanzten Schloßbau – und wird damit dessen Gegenüber. Heißt es die Sinndeutung zu weit treiben, wenn wir in dieser Lösung ein Zeichen dafür erblicken, daß der Mensch die Naturmacht als solche anzuerkennen und als Partner anzunehmen allmählich bereit wird? Allmählich – denn das Rad der Zeit dreht sich weiter und dreht sich ein gutes Stück, ehe auch nur der reduzierte Plan des einst so stolz projektierten Kaiserschlosses realisiert werden kann.

Kaiser Joseph hatte zwar noch mit dem Bau begonnen, aber sein Nachfolger Karl VI. ließ ihn halbfertig liegen. Erst Maria Theresia gab den Auftrag zu seiner Vollendung und damit auch zur Arrondierung und Ausgestaltung des Parkgeländes. Fischers kolossalischer Architekturentwurf wurde dem neuen Geschmack schonend angepaßt. Die feierliche Großartigkeit des frühen Absolutismus wurde aufgelockert, die dramatischen Akzente wurden gedämpft, das Ganze in eine Atmosphäre – man möchte sagen – humaner Heiterkeit getaucht. Maria Theresias wohlwollende Persönlichkeit drückte auch ihrer Residenz ihren Stempel auf, verlieh ihr das unvergleichliche Flair menschenfreundlicher Noblesse.

Noch wirkt die Versailler Tradition mächtig nach. Der Park bleibt Architektur, von schnurgeraden Alleen durchschnitten, die sich ihrerseits strahlenförmig verzweigen. So scheint sich die ganze Landschaft der ordnenden Kraft des Gesetzes zu fügen, das der Herrscher – als erster Diener des Staates – repräsentiert. Festlich strahlt der streng ornamentierte Blumenteppich, der sich von der Rückfassade des Schlosses bis unter den Hügel zieht. Nicht prachtvoll genug kann man sich seinen ursprünglichen Zustand vorstellen: die Wege waren mit goldglänzendem Kies bestreut, die Erde in den Beeten mit buntem Glasstaub bedeckt. Das kühle Marmorweiß zahlreicher mythologischer Figuren kontrastiert wirkungsvoll zum Aufgebot satter Farben.

Und doch hätte dieser Prospekt etwas Starres, wenn nicht in der großen Kaskade elementare Beweglichkeit ins Spiel käme. Wie schon gesagt, liegt diese Brunnenanlage dem Mittelrisalit des Schlosses genau gegenüber. Die Hügelflanke emporgezogen, von einer riesigen, vielfigurigen Neptungruppe gekrönt, wirft sie, auf volle Touren gebracht, Girlanden weißer Gischtschleier aus. Die Fülle der niederstürzenden Wasser wird in einem Bassin gefangen, das wieder von Fontänen belebt und übersprudelt wird. Hier tritt das Element in seiner ganzen pathetischen Mächtigkeit auf. In den geflügelten flossentragenden Hengsten der Bekrönungsgruppe, in der ungestümen Gestik der Wassergeister, in der ganzen dramatisch gestimmten Komposition klingt etwas von ozeanischer Wildheit, von Sturmes- und Brandungsgewalt auf – oder vielleicht auch die Erfahrung, die der alpenländische Österreicher mit seinen Bergflüssen und Bächen machte, die durch seine Täler stürzen und sie oft genug auch verheeren. Kann man hier eigentlich noch von Wasserspielen reden in dem Sinn, daß der Mensch mit dem Wasser seine Spiele treibt...? Ich möchte die große Kaskade eher eine Bühne nennen, auf der er dem Element seine ureigene Rolle zu spielen und sich selbst darzustellen Gelegenheit gibt.

Aber die Kaskade ist nicht die einzige Stelle im Park von Schönbrunn, wo das Wasser in Erscheinung tritt. Die Quelle, der das Schloß seinen Namen verdankt, blieb unvergessen und wurde in einem reizenden Brunnenhäuschen abgefangen. Die liebliche Nymphe Egeria ist ihre Patronin. Hochberühmt sind die beiden runden Teiche, in denen sich der Mitteltrakt des Schlosses spiegelt. Auch an romantischen Motiven fehlt es nicht. Da ist die künstliche „Ruine von Karthago", im Volksmund die Römische genannt: versinkende Pfeiler, zerstürzte Säulen, ein vermooster Tümpel, in der die Schwermut ihr schwarzes Haar zu tauchen scheint. Sic transit gloria mundi...

Doch oben auf dem Hügelrand thront die Gloriette, die – neben dem Stephansdom – vielleicht das bekannteste Bauwerk Wiens ist und jenem eine Zeitlang die Rolle eines Wahrzeichens streitig machte. Die Gloriette ist ein Zierbau ohne ersichtlichen Zweck, eine offene winddurchzogene Loggia von bedeutenden Ausmaßen. Freilich: vom Schloß her gesehen, stellt sie, über den Horizont emporgehoben, nur ein leichtes zartes Gittergebilde dar, luftig und transparent. Sie ist alles, was von Fischers erstem Plan übrigblieb: anstelle des Kaiserschlosses eine Heldenhalle, anstelle des Zentrums der ordnenden Staatsmacht ein Ehrenmal der Toten.

Gertrud Fussenegger

Die Gloriette – Krönung der Schönbrunner Parkanlagen. Der repräsentative Gartenpavillon wurde 1778 zur Erinnerung an den Sieg von Feldmarschall Daun bei Kolin (1757) errichtet.

The Gloriette – high point of Schönbrunn Park. The graceful garden pavilion was erected in 1778 to commemorate Field Marshal Daun's victory in the battle of Kolin (1757).

La Gloriette – le couronnement des jardins de Schoenbrunn. Ce beau pavillon fut érigé en 1778, pour commémorer la victoire du Feldmaréchal Daun à Kolin (1757).

Schloß Schönbrunn mit der Ansicht der Gartenseite gegen Park und Gloriette. Schloß Schönbrunn sollte als herrlicher kaiserlicher Residenzbau nach den Siegen über die Türken erstehen. Fischer von Erlach plante schon 1690 das Hauptschloß auf der Höhe der heutigen Gloriette. 1740 erhielt Schönbrunn seine heutige Gestalt. Bis 1918 war das Schloß neben der Hofburg die wichtigste Residenz des Kaisers.

Schönbrunn Palace, garden front looking toward the park and the Gloriette. Schönbrunn Palace was conceived as a splendid imperial residence after the victories over the Turks. Fischer von Erlach planned the main building on the site of the Gloriette. It was given its present place and form in 1740 and, as imperial residence, remained next important to the Court Palace until 1918.

Château de Schönbrunn, vue côté jardin, en direction du parc et de la Gloriette. Le château de Schönbrunn aurait dû devenir une magnifique résidence impériale après les victoires remportées dans les guerres contre les Turcs. Fischer von Erlach élabora les plans du château principal en 1690, il aurait dû se trouver à hauteur de la Gloriette. Tel qu'il se présente actuellement, Schönbrunn date de 1740 à 1918, Schönbrunn et la Hofburg étaient les principales résidences de l'empereur.

Stadtrand-Impressionen

Die stark ansteigende Straße, dem näherrückenden Bergsaum sich zuwendend, durchschneidet, blank, staubfrei, asphaltiert, eine riesige Schrebergartenkolonie. Das sind hier nicht die kümmerlichen, sozusagen lumpenproletarischen Beserlgärten, wie sie im geschlossenen Stadtbild der Vorstädte da und dort einen brachliegenden Platz parasitär auszunützen versuchen. Es sind Gärten mit allen Finessen, auf herrlichstem früheren Wiesengrund herangezüchtet, mit zum Teil entzückenden Kleinvillen darin; Schrebergärten mit einer behäbigen bürgerlichen Note und von einem schier urwaldhaften Aufwand an Blumen, Blumen, Blumen. Dahlien und Rosen der verschiedensten Gattungen herrschen vor.

Die Not des Krieges hat diese Anlagen geschaffen. Aber Kartoffeln und Kohl sind heute längst nicht mehr ihr Wesentlichstes. Prachtvolle Riesenäpfel, knapp vor der Ernte, gelbe, dickschädelige Birnen, Pflaumen und Pfirsiche schimmern durchs fette Laubwerk der Hunderte und Aberhunderte von Obstbäumen. Jeder Garten hat ein eigenes Gesicht, zugeschnitten nach der Wesensart seines Besitzers. Da gibt es Gärten mit einem netten, kleinen, einzementierten Schwimmbassin inmitten, Gärten mit Steingrotten, die obenauf eine Ruine aus Kieseln und Zement tragen mit einem Banner aus Blech auf dem Turm, das sich im Winde dreht: „Annenruhe"; Alpengärten mit Steigen, Brücken, Schutzhäusern, Marterln, mit allem alpinen Anschauungsrequisit; Ziergärten mit kunstvoll verschlungenen, ausbetonierten oder gekiesten Wegen und endlich nüchterne nackte Nutzgärten voll von Ananasbeeten und Ribiselstauden.

Es gibt Arbeitsmenschen und Genießer, hier wie überall. Da hat sich einer seinen Liegestuhl in den Schatten gestellt, mit Beinstütze, Sonnendach, Armlehne, liegt gelassen wie Gottvater darin und raucht eine richtige Hausherrnpfeife; dort kniet ein Mädchen in den Beeten und schneidet Nelken, Goldlack, Dahlien und Phlox zu einem dicken Strauß. Gegenüber stutzt einer, dem es jedenfalls nie Ruhe läßt (weil das Zeug eben wächst, wie's will), mit der großen Baumschere seine lebende Hecke zurück.

Die Sonne fällt schief durch die Bäume ein, aus den Häuschen und Hütten riecht es nach Abendessen. Ein paniertes Schnitzel prasselt. Bessere Leut', ohne Zweifel. Landaufenthalt mit Kochgelegenheit. Nur gemütlich, sauberer und billiger als in Kragelbrunn oder Klein-Meisenbach.

In dem gleichen Bereich, in der Zone der Friedhöfe und Spitäler, allerorten emporwachsend, vielfältig, blank, in dem spärlichen Grün seiner jungen Bäume: die Siedlungsgruppen. Größere und kleinere Massen, jede selbst wieder eine kleine Stadt, ein Dorf, ein eigenes Gemeinwesen. Ein- und Mehrfamilienhäuser, hier einzeln in Gärten, dort als Reihenhäuser gebaut, eine Mustersammlung der verschiedensten Wohntypen.

Hier hat der Lebenswille einer gewaltigen Stadt, der Hunger ihrer Verkürzten nach Luft und Licht einen kühnen Traum lebendig gemacht. Die Häuser sind nackt, ohne Patina, und wie unverbunden mit einer Landschaft, die vor Jahr und Tag noch Wiese und Weinhang war; diese Häuser zeigen noch das Gesicht des Experiments; aber sie sind da, und Tausende schmieden hier das neue Leben, abseits des Großstadtwahnsinns, in einer reineren Luft, angesichts der Berge und Hügel, unter der Hut der nahen Wälder, zurückgegeben der Erde mit ihrer mütterlichen Ruhe und Schönheit, dem Lande zurückgegeben, aus dem sie oder ihre Väter einst kamen, landflüchtig, magnetisch angezogen von den Möglichkeiten, dem Reiz und der Größe des steinernen Meeres dort unten.

Gegen Osten gewendet, nachtzu, blendet den Blick ein erhabenes Schauspiel. Hier heroben liegt rote Sonne in den Wipfeln der Bäume, die Amseln sitzen zuhöchst darin und singen der Scheidenden nach. Dort unten liegt verklärt, in blauem Dämmer, fern und schön, weithin gedehnt ins abendliche Flachland, ungeheuer und doch vertraut wie das eigene Blut, die heißgeliebte Stadt; die Türme der Stephans- und Votivkirche steigen, mit traumhaft sonnbeschienenem Filigran, Nadeln aus Märchengold, in den amethystenen Himmel. Das Auge sucht die vertrauten Wahrzeichen und grüßt die gefundenen mit Triumph und Wiedersehensfreude. Da ist die grünlich schwarze Insel, der Park von Schönbrunn, dort der massive und doch so feine Kuppelball der Karlskirche, die Rathaustürme hier, und dort, schon ganz im Abendblau, der Lichterreifen des Riesenrades. Immer aufs neue ergreift, rührt den Wiener dieses Wiedersehen mit seiner Stadt. Es ist, als ob er, überschwenglich und namenlos verliebt, einer Schönen sagen würde: Das sind deine Augen, das ist deine Stirne, das ist der edle Bogen deiner Wange, und dies hier, dieses hier, dieses Süße hier, es sind deine stolzen Lippen, Geliebte ...

Unter dem Bogen heimatlicher Waldhügel geht es ländliche Straßen, weite Wiesen entlang; nur da und dort, eigensinnig und einsiedlerisch, nackt und erratisch, hebt sich aus ihnen ein neues Haus. Dann, vor breiter Bergstraße, enden die Wiesenpfade. Abermals wirft eine Siedlungsstadt ihre gelben Würfel über das Grün, läßt sie den Hang hinabrollen in Zeilen, Haufen und einzelnen, entfernteren, wie aus dem Wurf zu weit hinweggerollten Häusern. Gar eine Kirche ist da, ländlich, einfach und sehr neu, aber vom Hügelrücken aus zieht sie von überall den Blick sammelnd auf sich.

Den Hügel überschneidend, geht's in ein Tal mit stillen, dunklen Gärten, die an stiller, menschenleerer Straße liegen und in denen Kastanien stehen; dicht, dunkel, melancholisch. Die Villen in den Gärten sind alt, mehr Landhäuser als Villen, und auf der Sonnenseite des Tales steigen Weingärten den nächsten Hang hinan. Ein Rest bäuerlicher Vergangenheit lebt noch um diese Hügel, um dieses geschlossene Grün von Garten, Wies' und Weinberg.

Wie lange noch ...?

Von dem schönen alten Park des Stiftshofes, den eine solide Steinmauer der Außenwelt verbirgt, weht es kühl, weltabgeschieden und geheimnisvoll. Nach dem Kriege wurde ein schönes Stück Stiftsgrund, Park, Acker, Weiden, an ein Industrieunternehmen abgegeben, das darauf sofort ausgedehnte Anlagen, Hangars, Depots, Maschinenräume errichtete. Wo Ähren gerauscht hatten, Bäume guten Schatten gaben, rattern oder ratterten bis vor kurzem die Transmissionen. Und wo im Abend friedlich Kühe geweidet hatten, toben jetzt gar die Goalschreie der Fußballbegeisterten. Technik hie und Sport da. Und das Alte, heilig Bewahrte dazwischen schrumpft ein. Kein Platz mehr dafür ...   Josef Weinheber

Landschaft voll Wiener Erinnerungen

Fahlhell schwelt der Nebel über den Winterhimmel ostwärts, während ich auf dem Dreimarkstein aus dem Wald trete und dem Namen dieses Wienerwaldberges nachsinne. Wohl weiß ich, daß hier, und zwar zunächst dem Leopoldsberg, voreinst Noricum an Pannonien grenzte. Aber Dreimarkstein –? Selbst ein Ortskundiger kann mir den Ursprung dieser Bezeichnung nicht deuten, obwohl er mir manch Wissenswertes von der Gegend sagt, über die jetzt ein kalter Dunst wie silberheller Tau schauert.

Hier, im Nordwesten, läuft Wien gleichsam in die Zacken eines Sterns aus. Das Neuwaldegger Tal, Krottenbachtal, Sieveringer Tal und Grinzinger Tal sind die Strahlen des Sterns, das Siedlungsbett zwischen den Bergzügen, zu deren Füßen langsam die Stadt ihren Vororten zuwuchs. Aber die schmalen Höhen blieben lange unverbaut und sind es teilweise noch heute. Wie schmale Landzungen stoßen sie ins graue Meer der Häuser vor, über dem sich nun allmählich der Nebel lichtet, bis der Wind den Schleier vollends hebt und der grünlich schimmernde Himmel wundersam mit den Korallen des Reifs auf Busch und Baum kontrastiert.

Dort drüben der Hügelrücken, der sich über Sievering hinzieht, heißt „Am Himmel". Welche Seligkeit hat diesen Namen erdacht? Und da gegenüber, dem Hang des Michaelerberges und Dorotheerwaldes angeschmiegt, strebt der „Sommerhaidenweg" jenem Sträßlein zu, das Pötzleinsdorf mit dem alten Winzernest Neustift am Walde verbindet. Dieses Neustift wurde 1330 als Neu-Stiftung eines vom Hochwasser des Krottenbaches zerstörten Ortes errichtet, der sich damals dem Weingartenried „Chlaitzing" anschloß, dessen Name noch heute im Namen der Siedlung „Am Glanzing" fortlebt. Und dahinter nennt sich ein Hügel „Windmühlhöhe". Das alles ist Poesie: Poesie des Klanges, aber auch Poesie der Landschaft, die im Talgrund alte Hauerhöfe, Winzerhäuser und kleine Bürgervillen der winzigen Neustifter Kirche anschließt, über deren Tor ein Inschriftstein verkündet: „Wegen abgewenter giftigen Seuche ist diese Capellen im Jahr Christi 1713 von den edlen Herrn Marco Abundio, italienischen Handelsmann in Wien, aufgerichtet worden." Damals freilich – zur Pestzeit – lag Neustift noch wirklich „am Walde". Denn, so meldet eine alte Chronik, „in dem Hintergebürg hat man am 6. Juley anno 1665 drei schwere Hirsche gespüret und geföllet". Doch wenn auch der Wald vor der Ausbreitung Wiens mehr und mehr zurückweichen mußte: der zur Straße gewordene Sommerhaidenweg hat noch immer etwas Bezauberndes, magisch Stimmendes und birgt in seinem Namen eine liebkosende Danksagung für etwas, das war.

Jetzt säumen das Sträßlein, soweit es noch nicht verbaut ist, Haselstauden, Dornenhecken und andere Sträucher. Zottige, dünn bereifte Wiesenböden gleiten talwärts und einige Gärten streben hangauf. Dann und wann springt ein Hase über den Weg oder ein Reh, das sich zu nahe an die Stadt wagte. Husch – schon ist das zauberhafte Bild entschwunden, dahin die schlanke Bewegung, die lautlose Flucht dieses erdnahen Geschöpfes. Zurück aber bleibt die beseligende Besinnung auf die enge, innige Verbundenheit von Stadt und Land, auf das naturverschwisterte Wien, und der Drang, in Erinnerung an das über die Straße wechselnde Wild mit dem „Wiener Horaz" zu singen: „Sehn S', meine Herren, auch das ist Wien!"

Unruhig summt die Stadt im Osten: graues Geklipp, in dem es da und dort unter der Wintersonne aufblitzt und rauscht wie der Gang einer Turbine. Aber das kommt nur fernher, taucht unter dem Gelispel des sanften Windes, der jetzt die zart bereiften Rosmarinsträucher am Ende des Sommerhaidenweges bewegt und mit den dunklen Zypressen spielt, die den Garten jener Villa beschatten, in der Arthur Schnitzler in den Jahren 1905 bis 1907 seinen Roman „Der Weg ins Freie" schrieb. Wer dieses Buch gelesen hat, kennt auch die Landschaft ringsum: denn dessen Handlung „spielt" zu einem wesentlichen Teil in diesem nun schon lange der Großstadt eingemeindeten Hügelort, im stillen Salmannsdorf. Lieblich steigt es den Hang des Dreimarksteins hinan, umgeben von Weingärten, die jetzt mit unbewimpelten Lanzen die Waldhöhe erklettern, hinter der die Sieveringer Steinbrüche gelbgraue Wunden in die Vorberge des Hermannskogels gebrochen haben.

Nur wenig hat sich hier seit den Tagen der Liebe Anna Rosners zu Georg von Wegenthin – die Arthur Schnitzler so meisterhaft darstellt – verändert. In der Nähe des kleinen, ebenerdigen Hauses, Dreimarksteingasse 13, in dem der sechsjährige Johann Strauß bei seinem Großvater Josef Streim seinen ersten Walzer komponierte, steht die kleine Villa, deren Garten ehemals ein blauer Tonengel schmückte, in der Anna Rosner ihrer Niederkunft entgegenharrte. An dem schlichten, efeuumsponnenen „Komponierhäusl" des dreivierteltaktseligen „Schani" verrät eine Tafel: „Hier hat ein großer Musikant, / Der ,Meister Strauß' war er benannt, / Den ersten Walzer komponiert / Und dadurch dieses Haus geziert." Und schräg gegenüber, an dem Haus Nr. 2, berichtet ein schildähnliches Wappen aus Blech in bereits schwer entzifferbaren Reimen, daß Sultan Soliman während der Türkenbelagerungszeit Wiens hier sein Prunkzelt stehen hatte, weshalb man den Ort dann „Solimansdorf" bzw. Salmannsdorf nannte. Doch Solimans Zelt stand erwiesenermaßen dort, wo sich heute das „Krematorium" befindet, und der Ortsname läßt sich schon vor Solimans Erscheinen vor Wien in alten Urkunden feststellen und dürfte daher von der alten Standesbezeichnung „Salman" – soviel wie Freibauer – abgeleitet sein, was ein Beweis dafür wäre, daß Freibauern die Gründer des Ortes gewesen sind. Und im Haus Nr. 6, das einst eine Buschenschenke beherbergte, komponierte Franz Schubert in geselliger Freundesrunde neben dem Maler Moritz von Schwind und dem Sänger Josef Vogl das prachtvolle Männerquartett „Ich lobe mir mein Dörfchen". Aber keine Tafel erinnert daran. Nur aus Biographien kann man das erfahren oder bei Rudolf Hans Bartsch, der in seinem Roman „Schwammerl" von den Spaziergängen Schuberts erzählt sowie von dessen Übermut, sich in den Wipfel eines Baumes zu setzen, um im schaukelnden Gezweig den Stimmen des Waldes und seiner befiederten Gäste zu lauschen. Das muß irgendwo hier gewesen sein, vielleicht an den Hängen des Dreimarksteins oder an der steilen, baum- und gestrüppbedeckten Geröllböschung über der „Zierleiten", die jetzt eine Reihe von Villen zu einer ländlichen Gasse aufgefädelt hat. Die „Zierleiten", ein sich hügelhin schwingender Steig nach Sievering, mündet in die Weingärten, in deren Mitte – am Mitterwurzer-Weg – eine schlanke, 1697 errichtete Maria-Immaculata-Säule an Ferdinand Raimund und Toni Wagner denken läßt. Hier nämlich haben sich die beiden – nach des Dichters unglücklicher Ehe mit Luise Gleich – ewige Treue gelobt. Darüber schreibt der Dichter am 11. September 1821 seiner Geliebten: „Gute, brave Toni! Die ersten Strahlen der aufgehenden Sonne finden mich wach, und was kann mein erster Gedanke sein? Du! Mein Leben, mein alles! Was sind für mich die letzten Strahlen des gestrigen Abends, des 10. Septembers? Heilige Mutter Gottes, bewache mit deinen himmlischen Blicken das Glück meiner guten Antonie ... Dafür habe ich mir gestern in meinem Innern gelobt, alle Jahre, solange mich nicht viele, viele Meilen von der dir geheiligten Säule trennen, an der wir uns gestern verbanden, am 10. September, zum Andenken des mir unvergeßlichen Tages eine halbe Stunde im Gebete an ihrem Fuße zuzubringen." Ferdinand Raimund hat dieses Gelübde gehalten und suchte Herbst für Herbst die Stätte seines Gelöbnisses auf: die Säule mitten in den Rieden bei Salmannsdorf, die heute wie einst über die Hügel schaut und eine Landschaft von fast italienischem Charakter um sich hat. Idyllisch ducken sich Winzerhäuschen und „Salettl" in sie.

Ach, diese Weingartenwege steigauf und steigab! Fiele jetzt nicht eine dunkle, lärmende Wolke aus dem Nebel auf die brockige, froststarre Erde und löste sich zu einer Schar kreischender Krähen auf, könnte man den Traum des Südens wahrhaft für wirklich halten. So aber glost die Sonne gebirgswinterlich durch den silbrigen Dunst, der Myriaden glitzernder Nadeln an die Zweige steckt und die Grashalme mit weißen Perlen bekrönt. Und durch die Luft tänzelt dann und wann ein kristallsprühender Falter. Aber es ist trotzdem kein richtiger Winter, der dichte Hauben auf die Giebel der kleinen Häuser und die rauhen Saumhölzer der Zäune setzt. Wohl flicht die Kälte da und dort gläserne Zöpfe an die Brunnenrohre und Dachtraufen, doch die dünne Reifschicht auf den Wiesen und Äckern hat der Wind zu weißen Inseln zusammengekehrt, und die vereisten Lachen in den Wegmulden und frostharten Radgeleisen zersplittern unter dem weitausholenden Schritt. Wo aber mögen die großen, die mächtigen und wilden Winter meiner Kindheit hingekommen sein, in denen ich mit gleichgesinnten Gespielen über die Hügel schritt wie über die dampfenden Rücken weißer Wolken? Wo mögen sie blühen, die Eisblumen unserer jungen Jahre, die wir auf den Fenstern bestaunten, auf denen sie in wunderbarer Tropen- oder Treibhausherrlichkeit wucherten? Freilich, auch jetzt blüht es allenthalben. Doch es ist nicht Schnee, es ist der Reif, der märchenhafte Klöppel- und Webearbeiten erfindet. Spitzenmuster der Natur! Phantastisch die Ästchen verknüpfend, vergessene welke Blumen umschließend, seltsame Ornamente ersinnend ... Und ich gehe – Salmannsdorf hinter mir und den Blick hin- und herwendend zwischen Villen, Heurigenschenken, Gärten und Wald –, ich gehe den Sommerhaidenweg stadtwärts, anscheinend in eine endlose Nebellandschaft hinein. Plötzlich aber werden die wehenden Schleier durchsichtiger und vor mir liegt – schon am frühen Nachmittag unter das goldene Netz unzähliger Lichter gebreitet – die riesige Stadt an der Donau: Wien.

Herbert Strutz

Einst Lehen der Gruenzingen

Schwerköpfiger Flieder säumt die Straße dort, wo sie von Grinzing bergan steigt, bergan aus dem uralten Weindorf, das jetzt auf seinen Straßenschildern den Namen Wien trägt. Schwerköpfiger Flieder drängt sich durch Gitter, tropft über Zäune und schmilzt mit süßem Arom in die milde Luft, die dieser Gegend eigen ist. Man wähnt einen über glosende Asche gegangenen Wind zu spüren, während man da und dort von der Straße einen Blick in altes, poetisches Gewinkel wirft. Das Haus, in dem einst der Dichter Richard Schaukal schlichte und prätentiöse Verse schrieb, steht da und schaut auf ein altes Hoftor, dessen große, grüngoldene Rosetten kostbar geschnitzte, filigrane Gestalten aus der Wiener Geschichte und Sage tragen. Und manches andere villenhafte oder ländliche Domizil begleitet den Weg, begleitet ihn mit tiefreichenden Gärten, aus denen pastellfarbene Obstblüten schimmern, und begleitet ihn mit schmalbrüstigen Weinhauerhäuschen, in deren Stuben und engen Höfen sich abends und sonntags die Leute zu gemütvoller Weinkost zusammenfinden. Fast scheint es, als wäre die Zeit vor diesem gartenumfriedeten Bezirk stehengeblieben. So wundersam und zauberhaft mutet er an.

Oder ist das alles nur mehr Kulisse? Das kleinstädtische Biedermeier, das enge, bäuerliche Gemäuer, die malerische gotische Kirche mit ihrem Schwalbenfang und dem siebenwändigen Turm, um den im Herbst der Duft der Maische webt und im Frühjahr der honigvolle Hauch der Akazien? Ist das alles nur mehr ein Erinnern an Vergangenes, was einen beim Anblick des marktähnlichen Ortsgepräges, beim Anblick des glyzinienbewachsenen uralten Brauhauses überkommt, während der steinerne Nepomuk am Hauptplatz sein Kreuz voll Elan schwingt? Sonderbar genug: das Brauhaus im Weindorf und der Brückenheilige ohne Brücke! Aber was tut das? Vielleicht gluckerte hier voreinst ein Bach durch den Ort, der nun unter das Straßenpflaster verwiesen ist. Das Land jedoch drängt noch wie einst in die Stadt, unterbricht ihre Siedlungen mit Gärten und Alleen und streckt solcherart seine grünen Hände fast bis in die Mitte des Bezirkes. Natur und umbauter Raum verschwistern sich hier. Das Klima scheint gleichsam – wenn man so sagen darf – irgendwie musisch zu wirken. Man versteht darum, warum Beethoven und Grillparzer hier oft verweilten. Und dazu paßt, daß auch Gustav Mahlers efeuübersponnenes Grab auf einem Hügel Grinzings liegt, von dem man weithin sieht: zur flimmernden Bläue über Wäldern und Weinterrassen, zum Kahlenberg, der den Fernsehmast wie eine stählerne Hyazinthe trägt, und zum Leopoldsberg, der sich mit Kirche und Burg wie ein Montsalvatsch über der Donau erhebt. Und das alles gehört nun zusammen: die Wienerwaldhöhen und Grinzing zwischen den Weingartenhängen, Grinzing, das berühmte Weindorf im Rahmen der Großstadt; und mitten darin das alte Brauhaus, das auf einer Tafel in knapper Art die Geschichte des Ortes erzählt.

Ihre Inschrift besagt, daß sich hier im vierten Jahrhundert, also zur Zeit der Römer, der „Trummelturm" befand. Er war ein Vorwerk der am Leopoldsberg erbauten Burg. Dem Turm folgte 1125 der babenbergische „Trummelhof", der von 1246 bis 1463 dem Lehen der Reicholte von Gruenzingen zugehörte, auf die demnach der Ortsname Grinzing zurückgeht. Dann wurde aus dem Freihof ein Kloster Santa

Clara, das um 1546 zu einem Herrensitz und hernach zu dem auch wiederum längst aufgelassenen Brauhaus wurde. Aber man merkt dem „Trummelhof", der Keimzelle von Grinzing, seine vorletzte Bestimmung – denn jetzt ist er ein Wohnhaus – nicht an. Vornehm und breit, fast ein wenig behäbig steht er auf dem Hauptplatz und fügt sich malerisch der Front der übrigen alten Häuser mit ihren steinernen Bogentüren und traumverhängten Höfen ein.

Fürwahr: so wie dieses Wien mögen auch italienische Städte gewesen sein: aus der Landschaft entwickelt, ihr natürlich entsprungen. Fast ist man versucht zu lächeln, wenn man an das Gemeinsame dieses schon ein wenig patriarchalisch gestimmten Nordens und des Südens denkt: den Wein. Denn der Wein – er ist auch hier das Brot der Leute, ein flüssiges Brot, das bald herb und bald weich und sanftschmackig den Gaumen berührt. Ihm gelten die Gebete und Sorgen jener gekrümmten Gestalten, die man vor der bergansteigenden Straße da und dort auf den sonnseitigen Lehnen sieht, deren ausgedehnte Rieden mit unzähligen Rebstockreihen besetzt sind. Im Herbst wird das einen Rausch von Gelbgrün und Goldgelb in allen Abarten, mit zartem Reif übersponnen, geben. Jetzt aber träubelt noch Flieder an der Straße und kost der Duft seiner blauroten und lilafarbenen Gehänge die Luft, die voll unbeschreiblicher Süßigkeit ist. Etwas von Schwermut schwingt in ihr und etwas von unstillbarer Sehnsucht. Mit sanften Fingern schließt sie die Knospen auf und streichelt sie die Weinstöcke.

Im einsamen Anstieg auf den Berg wird man dann eine seltsame Stimmung nicht los. Noch erfüllt die Erinnerung an den traumhaft gruppierten Ort das Herz, während man schon eine neue Seite dieser wunderbaren Stadt entdeckt. Denn die so altmodisch begonnene Straße verwandelt sich plötzlich in eine elegante Autostraße. In schwungvollen Kehren klimmt sie durch Wiese und Wald den Hang hinan und gewährt schließlich auf freier Höhe einen Blick über die Stadt, der seinesgleichen sucht. Da unten liegt Wien, surrend gleich einer Riesenturbine, über die sich das Grün der vielen Gärten und Alleen wie Wasser ergießt; weiter dahinter erhebt sich der graue Maulwurfshügel des Wienerbergs; und noch ferner, hinter hellen und schwarzgrünen Kuppen, schimmert aus diesigem Blau der Semmering. Vorne, in einer Falte des Berges, der den poetischen Namen „Am Himmel" trägt, schlängelt sich der Pointenbach durch Lattichkraut und Gestrüpp nach Grinzing, rechts davon nimmt ein Plateau des früheren Reisenberges die „Meierei Cobenzl" ein: ein elegantes „Jausenlokal" der Wiener.

Einst saßen auf diesem Aussichtsberg die Jesuiten. Nach Auflösung ihres Ordens durch Joseph II. übernahm der einem Kärntner Adelsgeschlecht entstammende Graf Philipp von Cobenzl ihr Landhaus und baute an dessen Stelle ein Schloß. Durch diesen Bau kam der Name des Bauherrn auch für den Reisenberg in Gebrauch, der bei den Wienern seitdem fortan „Kobenzl" heißt. Nach Cobenzls Tod erwarb dann ein Baron Pfaffenhofen den Besitz, hernach der als Erfinder des Kreosots und Paraffins sowie als Entdecker des geheimnisvollen „Od" berühmt gewordene Karl Freiherr von Reichenbach und schließlich ein Bankier Sothen, der von seinem eigenen Jäger Eduard Hütter aus Eifersucht erschossen wurde. Daraufhin gestaltete die Stadt Wien unter Bürgermeister Lueger das Schloß in ein Nobelhotel um, das jedoch dem Zweiten Weltkrieg zum Opfer fiel. Aber das ihm angegliederte Volksrestaurant, zur heutigen Meierei ausgebaut, blieb erhalten und bietet nun jedermann eine prachtvolle Fernschau, die von den Kleinen Karpaten bis zum Schneeberg reicht. Wahrhaftig, welches Panorama erstreckt sich da! Zu Füßen des Berges grau aufwallend die Gischt des Häusermeers, unruhig wogend um das dunkle Schiff des Stephansdoms; die Silbergravüren der Donau; die Blitze der vielen Augewässer, und das hinwellende Land, langsam hochflutend, bis es mit dem Gebirge den Himmel berührt, so knapp, daß man das Firmament von den Zacken und Graten der Berge gestreift wähnt.

Man wird nicht müde, zu schauen, und verweilt daher gerne, bis der Abend kommt, bis die Scheinwerfer der Autos die Serpentinen der Straße ausleuchten und der Berg mehr und mehr ins Verdämmern sinkt. Wenn das Dunkel immer undurchdringlicher wird, erwachen in der Tiefe die Lichter der Stadt. Sie zucken auf, blinzeln, blitzen und scheinen über den Horizont zu steigen. Aber sind das noch die Lichterketten Wiens? Die Silber- und Goldschnüre der Straßenlampen? Dort? Und dort? Man wagt es kaum zu entscheiden. Die Lichter der Stadt und die Sterne des Himmels spannen gemeinsam ein Goldnetz um die sehnsüchtig aufgeschlossene Seele, das Netz des großen Fischers, der unsere Schicksale entscheidet . . .

Herbert Strutz

Grinzinger Weinsteig

Vom Schreiberweg geht es hinein.
Ein Hauserl steht mitten im Wein.
Der Mai war ein wenig zu kühl:
da sind halt die Reben noch klein.

Noch klein, aber gut fürs Gefühl.
Ich schau auf das Blättergewühl.
Vom Hollerbusch fächelt der Wind
hangauf ein Harmonikaspiel.

Hangab zwischen Linden beginnt
ein Zwiebelturm, goldener sind
die Häuser ins Grüne gestreut,
das zart in der Bläue verrinnt.

Es hat mich nicht immer gefreut.
Dort unten verdämmert das Leid.
Dort schwimmt mir ein silbernes Band,
das bindet gelinde ans Heut.

Du welliges, seliges Land,
du Blick, in die Sinne gebannt:
Noch ist es wie ehemals mein
und schön und im Blute verwandt.

Das Große läßt fremd und allein.
Am Ende doch tröstet der Wein.
Der Mai war ein wenig zu kühl —
da sind halt die Reben noch klein.

Josef Weinheber

Die Winzersiedlung Salmannsdorf im 19. Wiener Bezirk. Das alte Weinhauerdorf am Südhang des Dreimarksteins taucht urkundlich schon 1279 auf. Im Johann-Strauß-Häuschen komponierte Johann Strauß seinen ersten Walzer. Dicht von Obst- und Weingärten eingefaßt, findet man noch die kleinen eingeschossigen Häuschen mit steilem Giebel.

Wine-growers' village Salmannsdorf in the outskirts of Vienna. This ancient village on the southern slope of the Dreimarkstein is first recorded as early as 1279. In the Johann Strauss cottage the Waltz King composed his first waltz. Small cottages with steep gables are surrounded by orchards and vineyards.

Salmannsdorf, un village vinicole dans le 19ème arrondissement de Vienne. Ce vieux village situé sur la pente Sud du Dreimarkstein est déjà mentionné dans un document datant de 1279. C'est dans sa petite maison que Johann Strauss composa sa première valse. Les petites maisons à pignon droit sont blotties entre des vergers et des vignobles.

Abendliche Weinhauergasse in Sievering. Sievering, das urkundlich bis 1134 zurückgeht, hat sich weitgehend noch seinen ländlichen Charakter bewahrt. Die mit Tannenreisig behangene Lampe über dem Haustor zeigt an, daß „ausg'steckt" ist und selbstgekelterter Hauerwein ausgeschenkt wird.

Evening in the winegrowers village of Sievering. Dating back to 1134, Sievering has largely maintained its rural character. The pine branches on the lamp above the main door indicate that new wine, pressed in the home vineyard, can be drunk here.

Le soir dans une ruelle de Sievering, un village vinicole. Mentionné dans un document dès 1134, Sievering a conservé son caractère rural. Les ramilles de sapin accrochées à la lampe au-dessus de la porte indiquent que l'on y sert du vin pressuré dans la maison.

Stiller Hof in einem Haus in Grinzing. Die Weinhauersiedlung am Wienerwald war bereits 1106 als Dorf erwähnt. Obwohl durch die Jahrhunderte von Türken und Franzosen immer wieder zerstört, blieb Grinzing bis heute als beliebtes „Heurigen"-Dorf und als Ziel vieler Einheimischer und fremder Gäste erhalten.

Quiet court of a house in Grinzing. This winegrowers' village in the Vienna Woods existed already in 1106. In spite of repeated destructions by Turkish and French troops in the course of the centuries, Grinzing has remained a favorite "Heurigen" village where natives and foreigners enjoy the new wine.

La paisible cour d'une maison de Grinzing. Ce village vinicole situé dans la Forêt de Vienne existait déjà en 1106. Au cours des siècles, ce village fut détruit par les Turcs et par les Français, mais il renaquit toujours de ses ruines. Il est resté un village fort apprécié des Viennois et des étrangers en raison de ces pittoresques guinguettes où l'on sert du vin nouveau.

Das Beethoven-Haus in Heiligenstadt. In diesem kleinen Weinhauerhaus in Heiligenstadt, Probusgasse 6, schrieb Ludwig van Beethoven am 6. Oktober 1802 in dem als „Heiligenstädter Testament" in die Musikgeschichte eingegangenen, nie abgesandten Brief, daß er sein Gehör endgültig verloren hat. Sein letzter Satz lautet: „. . . Ich bin gefaßt. Nicht unglücklich – nein, das könnte ich nicht ertragen."

Beethoven's house in Heiligenstadt. In this cottage Ludwig van Beethoven, on October 6, 1802, wrote the so-called Heiligenstadt Testament, a letter which has become part of the history of music and in which he admitted that he had finally lost his hearing. It was never mailed. The last sentence read: ". . . I am resigned. Not unhappy – no that I could not bear."

La maison de Beethoven à Heiligenstadt. C'est dans cette petite maison de vigneron à Heiligenstadt, Probusgasse 6, que Ludwig van Beethoven écrivit son «Testament de Heiligenstadt», le 6 octobre 1802. C'est un manuscrit qui fait date dans l'Histoire de la musique. Il écrivit qu'il avait définitivement perdu l'ouïe. Sa dernière phrase: «. . . je suis impassible. Non, je ne suis pas malheureux, je ne pourrais le supporter. «

Erinnerung an Beethoven

Das erstemal, daß ich Beethoven sah, war in meinen Knabenjahren – es mochte im Jahre 1804 oder 1805 sein –, und zwar bei einer musikalischen Abendunterhaltung im Hause meines Onkels Sonnleithner, damaligen Gesellschafters einer Kunst- und Musikalienhandlung in Wien. Außer Beethoven befanden sich noch Cherubini und Abbé Vogler unter den Anwesenden. Beethoven war damals noch mager, schwarz, und zwar gegen seine spätere Gewohnheit höchst vornehm gekleidet und trug Brillen.

Ein oder zwei Jahre darauf wohnte ich mit meinen Eltern während des Sommers in dem Dorf Heiligenstadt bei Wien. Unsere Wohnung ging gegen den Garten, die Zimmer nach der Straße hatte Beethoven gemietet.

Meine Brüder und ich machten uns wenig aus dem wunderlichen Manne – er war unterdessen stärker geworden und ging höchst nachlässig, ja unreinlich gekleidet –, wenn er brummend an uns vorüberschoß, meine Mutter aber, eine leidenschaftliche Freundin der Musik, ließ sich hinreißen, je und dann, wenn sie ihn Klavier spielen hörte, auf den gemeinschaftlichen Gang, und zwar nicht an seiner, sondern unmittelbar neben unserer Tür hinzutreten und andächtig zu lauschen. Das mochte ein paarmal geschehen sein, als einst plötzlich Beethovens Tür aufgeht, er selbst heraustritt, meine Mutter erblickt, zurückeilt und unmittelbar darauf, den Hut auf dem Kopfe, die Treppe hinab ins Freie stürmt. Von diesem Augenblick an berührte er sein Klavier nicht mehr. Umsonst ließ ihm meine Mutter, da ihr alle anderen Gelegenheiten abgeschnitten waren, durch seinen Bedienten versichern, daß nicht allein ihn niemand belauschen werde, sondern unsere Tür nach dem Gange verschlossen bleiben und all ihre Hausgenossen statt der gemeinschaftlichen Treppe sich nur im weiten Umweg des Ausgangs durch den Garten bedienen würden: Beethoven blieb unerweicht und ließ sein Klavier unberührt, bis uns der Spätherbst in die Stadt zurückführte.

Franz Grillparzer

Sieveringer Oktoberlied

Schräg trifft der Sonnenschein
Dächer und Haus.
Wer will der Letzte sein?
Bald ist es aus.
Herbst, schöne Zeit
mit Fechsung und Frucht!
Schau dir mein Herz an, Freund,
welk und verflucht.

Torbogen, Tische im Flur.
Rauch zieht, Windlicht brennt.
Oktober, du letzte Spur
Lust vor dem End!

Müdigkeit,
der ich vergeblich entflieh.
Jahrtraum verwittert leis
in Melancholie.

Schau, Freund, hinauf! Schau
dir den schwarzen Himmel an!
Das war vor Stunden blau.
Alles ist Wahn.
Wer nicht mehr lachen kann,
kann nicht mehr menschlich sein.
Es ist höchste Zeit:
Hauer, schenk ein!

Josef Weinheber

Blick vom Kahlenberg

Schau den Wein: wie er grünt. Und er säumt lang den Steig.
Riech! Die Luft schmeckt so köstlich und mild.
Unten brodelt die Stadt. Doch ein blühender Zweig
schaukelt sanft und verhängt uns ihr Bild.

Gelber Lehm bröckelt mürb unterm klimmenden Schuh.
Und der Weg tritt verträumt in den Wald.
Goldenes Grün, grünes Gold – ach, wie winkt es uns zu.
Und das Moos ist mit Kringeln bemalt.

Oben wartet der Turm. Und dort wollen wir stehn
hoch im Blauen. Und staunen. Schon kannst
du dann drunten den Strom und das Häusermeer sehn
und den Himmel, von Wolken zerfranst.

Und die Gärten wie Schaum, der jetzt grün, der jetzt weiß
um die Klippen und Dächer sich dreht.
Und das Riesenrad wie einen silbernen Kreis.
Und den Dom, der im Grauen dort steht.

Wie ein Mast ragt sein Turm. Und sein Schiff, ohne Zeit,
rauscht mit Menschen und Seelen an Bord
aus der Unrast der Welt, Gottes Stille bereit . . .
Ach, voll Ehrfurcht erstirbt da das Wort.

Nur das Herz pocht noch laut. Und ein Drehorgellied
hebt es auf wie mit Flügeln. Dahin
schwebt es sanft und verklärt von der Stadt, die es sieht.
Und mit seligem Blick dankst du Wien.

Doch dein Schauen drängt weiter . . . Wie nimmt da der Blick
auch noch alle Fernen an sich
und behält sie verträumt, gibt sie nicht mehr zurück
bis zum letzten, versilberten Strich.

Mit dem Duft kommt das Land, kommt der Fluß und die Au,
kommen Berge und Hügel so zier
wie die Dörfer und Flecken aus dunstigem Grau
und die Wälder und Felder zu dir.

Und da weißt du: die Heimat, sie dauert zutiefst
in dir fort durch das Lied, das du singst
und den Enkeln noch nachklingt, längst wenn du entschliefst
und für immer im Dunkel vergingst.

Herbert Strutz

Am Heustadelwasser im Prater

Plötzlich über Nacht – so rasch, wie er kam – ist der Flieder verblüht. Nur da und dort hängen noch einige welke, rostfarbene Dolden wie verdorrte Weintrauben an zähen Stielen und rieseln, vom Wind beklopft, müde zu Boden. Doch das Auge entdeckt an den Spiersträuchern, daß die Gewalt des Säftesteigens noch nicht gebrochen ist. Im Grün des Laubes schäumen milchweiße Blüten, der Goldregen feuert noch seine Raketen empor wie flüssiges Metall und die weiten, langhalmigen Wiesen wogen margeritenbesternt unter den ungestümen Schlägen eines heißen, duftschweren Windes, der bereits den Sommer auf seinen Schultern trägt. Allmählich tritt er seine Herrschaft an. Die niederstäubenden Kerzen der Kastanien in der Prater-Hauptallee bilden rosige Lachen um die Stämme, als spiegelten sich flamingorote Wolken in kleinen und seichten Wasserpfützen; und um die Sonne kreist weißglühende Luft. Das Klirren des Vogelgeschwätzes, im frühen Mai noch übermäßig geübt, erschallt nun sanfter und der Kuckuck in den Auwäldern tickt schon länger seinen seltsamen Ruf in die beseligende Müdigkeit der Stunde. Stiller als in den ersten Frühlingstagen wachsen die geheimnisvollen Kräfte der Erde, gleichmäßiger lodern die Gräser in den Lichtungen, schimmert die goldene Glut des Hahnenfußes, das wabernde Blühen violetter, blauer und roter Blumensterne. Über Nacht verwehte der Frühling und warf sich seinem heißeren Bruder, dem Sommer, an die Brust.

Von den wenigen Alleen, die den Prater durchqueren, hört man das Traben der Pferde und mitunter einen abgehackten Wirbel, der plötzlich zunimmt und schnell rhythmisch vorbeischlägt: Motorräder, Roller und Autos. Und fern manchmal den verröchelnden, warnenden Pfiff des Liliputzügleins, das aus der lauten Stadt der Vergnügungsbuden in die Auwälder rattert: ein dünnes, stählernes Laufen und Haspeln. Sonst nichts. Wochentagsruhe nistet überall, behagliche, seltsam lebendige Stille, Traumesstimmung über uralten, knorrigen Stämmen, die zu Waldmüller-Bildern zusammengestellt sind, und über sonnigen, bunten Grasflächen, die wie einladende Schlafteppiche zwischen den freundlichen Wäldern liegen. Hahnenfuß, Löwenzahn, Dotterblume und Lauchkraut wachsen da, Himmelschlüssel, Ehrenpreis und azurblauer Salbei. In dieser hellen, heiteren Umgebung denkt man an die Märchenillustrationen Schwinds oder auch an Richters freundliche geniale Schnitte. So anmutig wirkt die Landschaft, wirken Au und Wald. Astspitzen, in die blaßblaue Seide des Himmels gewoben. Silbernes Laubgetänzel, als liefen unzählige Tropfen über eine Platte, jeder einzeln für sich. Und herunten: goldgrüner Schatten, bräunliche Humusfarbe, Rindengrau und blaues Dunkel um dichtes Gebüsch: eine Gegend, die den Wanderer lockt und bis in die innerste Seele aufschließt. Das ist der östliche Wald Wiens zwischen Donau und Donaukanal, ein Jagdrevier der Babenberger, das Ferdinand I. einfrieden und Karl VI. durch seinen Forstknecht Hans Bengel vor unerlaubtem Zutritt schützen ließ, was in Wien den Namen Bengel für alle rüden Gesellen sprichwörtlich machte. Erst Joseph II. erließ 1766 eine Verfügung, wonach „künftighin und von nun an zu allen Zeiten des Jahres und zu allen Stunden des Tages jedermann ohne Unterschied in dem Prater sowohl als in dem Stadtgut frei spazieren zu gehen, zu reiten und zu fahren, und zwar nicht nur in der Hauptallee, sondern auch in den Seitenalleen, Wiesen und Plätzen" erlaubt sein sollte, versetzte das schon 1705 erbaute Lusthaus an das Ende der großen Allee und bewilligte die Umwandlung dreier zierlicher Pavillons in Gaststätten, die sich dann zu den „drey Kaffeehäusern in der Prateraue" entwickelten, „allwo sich das Volk nach den Erlustigungen in dem Wurstelprater", der heiteren Vergnügungsbudenstadt, am Ende der Jägerzeile, der nachmaligen Zufahrtsstraße, traf. Doch verschwunden sind die kleinen maria-theresianischen Bauten, die einst an Amouröses erinnerten, vergessen ist, daß der Name Prater wahrscheinlich der Lagerbezeichnung der Römer, „Prata legionis" – was „Wiesen der Legion" heißt – entstammt, verändert hat sich – auch unter dem Schlachtbeil des letzten Krieges – manches, unbesiegt aber blieb die Natur, unbezwungen und wachstumskräftig, sich ewig fortsetzend in der Hut urwaldmächtiger Baumriesen mit gichtisch verknoteten Ästen. Wahrhaftig: es gibt kaum eine eigenartigere Landschaft in der Nähe Wiens, ja noch einbezogen dem gewaltigen Stadtgebiet, als diese.

Flimmernde Lichtbänder hängen in breiten Streifen vor kühlen Hintergründen und heben das Violett der Taubnessel funkelnd aus dem Dämmer der Gebüsche und die zarten Sterne des Waldmeisters vom dunklen Grund. Und da oder dort liegt eine wettergefällte, bemooste Buche und vermodert, während eine Robinie ihren jasminsüßen Duft über sie streut. Das ist die Verwandlung. Kein Tod. Denn ringsum und oben lebt es. Spechte oder Kleiber schlagen ihr Tick-tack wie kleine, unstete Pendeluhren – „die Zeit vergeht, die Zeit vergeht", so hört es sich an – und Eichhörnchen schnellen von wippenden, federnden Zweigen, langhin die buschige Rute nachschleifend, um zutraulich, aber in vorsichtiger Eile, aus der Hand des einsamen, harmlos scheinenden Wanderers die hingehaltene Nuß zu holen. Indessen spiegelt sich im sanften Grün des Wasserarmes, der hier den Wald unterbricht und von niedrigen, hin und her wehenden Ästen wie von zarten Fingern gekost wird, ein roter Kinderluftballon, der einem allzu patschigen Kleinen in der Schaubudenstadt davongeflogen sein mag, und versinkt, indes er immer steter in den Himmel steigt, im Wasser wie eine Kirsche. Spiegelbild der Seele: je höher sie fliegt, umso tiefer taucht sie in das Geheimnis der Dinge. Ach, wie viele Gedanken rührt die Einsamkeit der Natur im Herzen auf, wie viele Träume erweckt das seltsam brausende Wühlen in den Bäumen, der sanfte Flügelschlag des Wachens, der sich bald füllig aufrauschend, bald lispelnd kundgibt.

Und man geht und geht, begegnet nur selten einem Einzelgänger oder Liebespaar, das schweigsam dem eigenen Atem und dem des Waldes lauscht. Manchmal sieht man aber auch zwei in einem Kahn dahinfahren, beschattet von den grünen Wolken des Laubes, die im Wasser zu roten, silbernen, gelben, grünen und blauen Pünktchen zersprühen. Er rudert und sie sitzt am Steuer. So ist das Leben . . . Und im kleinen Hafen an der Hauptallee, zwischen schwimmenden Rotbuchen- und Weidenblättern, warten noch viele Boote, blau, rot und gelb gestrichen, um in die Wellen zu stechen und den Zauber des Auwaldes vom Wasser her zu erschließen. Mittags fährt man dann über glühende Abgründe und erschreckt die Enten, die in Karawanen aus den Blättervorhängen des Ufergrüns heraussegeln. Und abends, nachdem die goldenen Speere der Sonne auf den unruhigen Wogen zu tausenden Teilchen zersplittert sind, knapp vor dem Einsturz des Tages, abends sieht man die matten Farben des Himmels wie auf einer Palette pastellweich ineinanderfließen. Dann kommt der Mond, versinkt wieder in Wolken und erweckt eine unheimliche, zauberwaldhafte Szenerie. Das schwarze Wasser flackert manchmal in einem grünen

Der Prater auf der Praterinsel in Wien. Das große Wiener Vergnügungsgelände mit dem ausgedehnten Naturpark liegt zwischen Donaukanal und Donau. Das einstige kaiserliche Jagdgebiet wurde 1766 von Kaiser Joseph dem II. als „allen Wienern gewidmeter Erholungsort" freigegeben. Zu seinen Hauptattraktionen gehört auch das Riesenrad.

The Prater Park on the island of the same name. The large pleasure grounds and the adjoining natural reserve are situated between the Danube and the Danube Chanel. The former imperial hunting grounds were opened and dedicated to all Viennese for their recreation by Emperor Joseph II, in 1766. One of the main attractions is the "Giant Wheel".

Le Prater sur l'île du Prater à Vienne. Ce grand centre d'amusements de Vienne, avec un vaste parc naturel, se trouve entre le canal du Danube et le Danube. Cette ancienne terre de chasse impériale fut mise à la disposition des Viennois en 1766 par l'empereur Joseph II. La roue géante compte parmi ses plus grands attraits.

Das Kurhaus in Baden bei Wien. Die Kuranstalt Baden am Osthang des Wienerwaldes war bereits den Römern als Rheuma-Heilbad bekannt. Im 9. Jh. wurde es Königsgut, 1480 erhielt Baden Stadtrecht. Heute fließen 15 Schwefelquellen mit einer Temperatur von 36 Grad.

Pump-room in Baden near Vienna. As a watering place on the eastern slopes of the Vienna Woods, Baden was already known to the Romans for its healing effects on rheumatism. In the 9th century it was royal property and was given municipal rights in 1480. Today it has 15 sulfur springs with a temperature of 36° centigrade.

L'établissement thermal de Baden près de Vienne. Les propriétés curatives des thermes de Baden, sur la pente Est de la Forêt de Vienne, étaient déjà connues de Romains; elles sont indiquées pour le traitement des rhumatismes. Baden devint domaine royal au 9ème siècle et reçut sa charte municipale en 1480. L'établissement thermal possède 15 sources sulfureuses d'une température de 36 degrés.

oder weißen Stich auf, die starken, riesigen Baumstämme an der Böschung stehen in einem nebeligen, schwelenden und glimmenden Licht und ihre Laubmassen hängen wie schwere, schwarze Fahnen in der warm duftenden Luft, durch die jetzt deutlicher als am Nachmittag das lärmende Rattern, ein sonderbares stählernes Klickern und Haspeln, und der schrille, ängstliche Mauspfiff des Liliputzügleins, die Polyphonie der vielen Praterorgeln und der hundert Geräusche der Vergnügungs-stätten von jenseits der Hauptallee melancholisch zerdehnt herüberdringt. Das Singen und Klingen der Stadt, ihr gedämpftes Lied, das ab und zu an das Surren eines rotierenden Rades, an das Fauchen der gequält durch einen Windkanal ge-preßten Luft erinnert. Das Lied des hastenden, jagenden Lebens. Aber im Dunkel wandeln noch immer, eng aneinandergeschmiegt, einsame, weltvergessene Liebes-paare.

Herbert Strutz

Nächtlicher Bisamberg

Greifenstein an der Donau mit dem Blick nach Westen. An der Stelle, wo der im Wienerwald auslaufende Al-penbogen unmittelbar die Donau er-reicht, steht auf einem Felsen über dem Strom die sagenreiche Burg Grei-fenstein.

Greifenstein on the Danube with view to the West. Where the crescent of the Alps, tapering off in the Vienna Woods, reaches the Danube, the castle of Greifenstein, dating from 1135, rises on a rock above the river. Many legends are connected with it.

Le château de Greifenstein au bord du Danube, avec vue en direction de l'Ouest. Les ruines légendaires du château de Greifenstein se dressent sur un rocher dominant le fleuve. C'est ici que les derniers contreforts des Alpes, qui viennent mourir dans La Forêt viennoise, touchent directement le Da-nube.

Von dort, wo der niedrige Berg
verfallen sich hindehnt in der Nacht,
selbst eine Nacht voll von Traumdickicht,
sehn wir dich an, wir, seine Siedler
unterm Mond, dem hervorkommenden Fremdling:

die nächtliche Straße jagst du entlang,
die alles gefälscht hat: das Licht, die Geräusche, Gerüche,
die Orte der Heimstatt, ja selbst die Erde um sie,
und die nun auch dich wieder verfälscht
zur Puppe im Kaufhaus der Großstadt.

Nur durch Lücken im Tunnel verdorbenen Lichts
spähst du herauf zu uns, spähst du zum Mond,
ahnst wie es sein wird, einmal, auf dem Berge der Toten,
diesem weithin verfallenen Dickicht, als Siedler der Nacht,
aufgewacht unter der steigenden Fremde des Monds.

Rudolf Felmayer

Klosterneuburg

Um die grüne Kuppel, auf der die Kaiserkrone hoch über dem Lande ruht, sollten sich acht Kuppeln scharen als Träger der habsburgischen Kronen. Der Palast, den Karl VI., als Letzter des Mannesstammes repräsentativ zusammenfassend, in Klosterneuburg errichten wollte, war eine phantastische Konzeption. Die Fundamente der babenbergischen Residenz vom Anfang des 12. Jahrhunderts sollten ihn tragen, gestufte Wälle die kühn geschwungenen Fronten umgürten, die Donau sollte das Klosterschloß umspülen, während der Blick offen war auf die einander begegnenden Gebirge und Räume. Der Haupttrakt, den die Kaiserkrone schmückte, war gegen Wien gerichtet. Gewiß: eine der Variationen des Escorial, die von Monte Cassino über das katalonische Königskloster Pobled bis Mafra am portugiesischen Atlantik spielen: der Herrscher als Nachbar des Mönchs, Herrschaft eingebettet in Gottesdienst, in Liturgie. Aber die neun Kuppeln hätten wohl die Türme um den ersten Stiftsbau erdrückt; die Weltlichkeit hätte gesiegt. Nun ist die Basilika, deren romanische Wucht strahlende barocke Draperien trägt, Siegerin; sie allein noch spricht in das Land hinaus, sie und Bruckners geliebte Orgel auf der Empore. Die Glorie, die Tugendkraft des Hauses Habsburg, die der Himmel der Eingangskuppel des Kaiserpalastes verkündet, sind stumm. Die Kaiserin reicht dem Gemahl ein Herz; eine Pflanze sprießt daraus hervor; Fruchtbarkeit umblüht das Paar, und die Tuba trägt den Ruhm zu den Sternen, hinab auf die Erde.

Aber das Weltliche ist in das Geistliche eingegangen. Kehren wir in seinen Bereich zurück! Gewölbte, reichverzierte Gänge von spiegelnder Leichtigkeit führen an den Kaiserzimmern vorüber zum Stift – wie anders als die aus nackten grauen Quadern gefügten Fluchten, in denen sich Philipps II. Schatten verlor! Wenn die Pforte zwischen Palast und Stift sich öffnet und wieder schließt, reden ein früheres Jahrhundert, eine andre Bestimmung ihre Sprache; die Formen sind von düstrer, herrscherlicher Schwere. Der Gekreuzigte gebietet: ein Kruzifix von spanischem Realismus der Leidensbetrachtung, welcher Realismus in seiner Grausamkeit Anfang des Aufstiegs zum Berge Karmel ist. (Unter dem Gewicht des Körpers sind unterhalb des die Füße durchbohrenden Nagels Haut und Fleisch zurückgewichen; die Knochen sind entblößt.) Die Gotik hat sich in den ernsten Kreuzgang, den intimen, verwinkelten Hof zurückgezogen, wo der Schnee auf das dichte Wintergrün stäubt, einige der winzigen Fenster sind erleuchtet, und Gesang dringt durch. Aber das eigentliche Heiligtum des Stiftes, vielleicht Österreichs selbst, ist der einstige Kapitelsaal, in dem der Schrein des Gründers, Leopolds III., des „Guten", des Heiligen, geborgen ist. Er krönt den „Verduner Altar", das im Jahre 1181 vollendete Werk eines wandernden Goldschmiedes aus Verdun, ursprünglich als Verkleidung einer Ambo gedacht, als Verkündigung. In drei waagrechten Zonen sind je siebzehn Emailtafeln übereinandergeordnet; mit dem Ziele tiefsinniger Entsprechung in der Vertikale; dem Ante Legem von oben erwidert das Sub Lege von unten; unter Sub Gratia erstrahlt in der Mitte die erhöhte, durchleuchtende Wahrheit. Es ist eine Summa kühnen Tiefsinns, in souveräner Freiheit der Gedankenführung wie der Gestaltung, der drei Epochen der Menschheit vereinenden Kombination. Wenn das Licht (das freilich nicht das gemäße Licht ist) das Tafelwerk aus dem kryptischen Dämmer hebt, so entfaltet sich ein Spielen und Fließen ineinander geschmolzener Flammen; golden-grün-blau, eine jede Farbe wirkt in ihrer eigenen verhaltenen Intensität in die andere hinüber; es ist der Eindruck bewegter Ruhe, eines Ausstrahlens, das keine Kraft einbüßt, wie von eines Engels Antlitz. Die Lichter stiller Kerzen allein sollten das Tafelwerk berühren – oder die dunklen Glutstrahlen der gotischen Scheiben, die dahinter die Fenster füllen.

Hier ist das Denkmal des Ursprungs, ausgezeichnet mit der vielleicht größten Kostbarkeit des Landes. Als der Habsburger Rudolf, der Stifter, die Heiligsprechung Leopolds III. erstrebte, wurde die Idee Österreich zugleich erhoben, bekannte sich Habsburg zu Babenberg. Noch ist es nicht das Plus ultra Karls V., das Karl VI., der Letzte, noch einmal aufzunehmen wagte, als er sein Eckzimmer oben im Palast mit den Säulen des Herkules schmückte. Es ist eine geschlossene, nicht eine offene Reichsgestalt, eins mit der Christenheit. Leopold empfing die Kreuzfahrer hier in Klosterneuburg und geleitete sie an Wien vorüber; ins Heilige Land zog er nicht. Seine Gemahlin war Agnes, die Tochter Heinrichs IV., der im Jahre der Gründung Klosterneuburgs im Banne starb (1106). Sollte das Stift Sühne leisten für den tragischen Kaiser? Leopold hatte ihm gegen den aufrührerischen Sohn gedient; dann aber war er zum Sohne übergegangen, seinem künftigen Schwager. Hier, im Kapitelsaal, sollte auch die Herzogin Gertrud, Gemahlin Heinrich Jasomirgotts, begraben werden: sie war die Tochter und einzige Erbin des frommen, weisen Kaisers Lothar von Supplinburg, Witwe Heinrichs des Stolzen, Mutter des Löwen, auf deren Erbschaft das Welfenhaus seinen tragischen Anspruch und Widerspruch begründet hatte. Hier kniete der Sohn an ihrem Grabe. – Die Lichter verlöschen, das großartige Gitter verschließt die Kapelle; glanzlos steht der Schrein; nur ein sachtes Flimmern geht von ihm aus, Reichsverheißung, Weltbeziehung, die, wieder- und wiederkehrend, über den Gräbern spielt. Im tiefen Dunkel erhebt sich der Leuchterbaum, ein sechsfach verknoteter, durchbrochener Stamm, der sieben Arme trägt. Wer sollte nicht glauben, daß er an den Holunderbaum erinnern soll, der hier den Schleier der Babenbergerin aus salischem Kaiserhaus auffing: den Wunderbaum, in dessen Gezweig Mariens Bildnis strahlte? Und erscheint hinter ihm nicht eine noch ältere Baumgestalt, vor der sich die Väter beugten? Hier ist, hier war immer heiliger Ort.

Oben, das von Gold glänzende Chorgestühl beharrt auf dem Reiche Karls VI.: Die Wappen auf den Lehnen der oberen Reihen zählen alle Herrschaften auf von Tirol bis Spanien; von Burgund über Mailand bis Sizilien, das ungeteilte Imperium. Draußen, die zierliche, steinerne Totenleuchte friert im nassen Schnee über verschwundenen Gräbern; hoffnungslos wie jene, die an Gräbern nicht glauben können, starren die Kaiserkrone und der österreichische Herzogshut von ihren Kuppeln nach Wien, kaum mehr wirklicher als die Kuppeln, die nicht mehr gewölbt wurden, die Zeichen, die nicht mehr aufgerichtet werden.

Reinhold Schneider

Wir Kinder von Wien

Wir Kinder von Wien,
wie gehen unsere Wege oft wirr und krumm,
hügelauf, hügelab, über Stufen und Stiegen,
die Kreuz und die Quer,
daß wir selber oft uns wundern müssen,
wie wenig wir übersehen, was wir zu gehen begonnen.
Könnt' es auch anders sein?
Hast du uns doch das Gerade und Ebene nie gelehrt,
hast du dich doch immer wieder hinter vielen Ecken versteckt –
im Spiel, um uns schon klein das Spielende beizubringen,
hast du den Wechsel, die Unruh', das Verlangende
ins Blut uns mitgegeben – du irdische Schwester des silbernen Monds –
und die Sehnsucht nach Schönheit, das Wissen um Schönheit . . .
du schöne Mutter, oft viel zu schön für uns.
Weißt du, wenn es dunkelte und nachtete,
und wir voll Angst in unseren Kinderbetten lagen
und nach einem Streicheln von dir,
nach einem Lied von dir verlangten,
und du gingest doch, seidenschimmernd, golden geschmückt
und mit duftenden Haaren
von uns fort,
als hättest du uns ganz vergessen
und dächtest an nichts anderes als an den Tanz
und an den, der just dich im Arme hielt und wiegte.
Du schöne Mutter, auch wenn sie dich alle verlassen hatten,
die Freier, dich belügend und betrügend,
und du dann heimlich weintest,
bittere Tränen des Harms und der Reue,
auch dann noch, du schöne Mutter.
Nie saßest du trauernd, mit dem Witwenschleier am Weg,
der ins Gewesene führt, zu den Schatten und Abgeschiedenen,
immer bliebst du die Junge, die Rüstige, die Schaffende,
das Ungemach langsam überwindend durch der Hände Regen.
Und mit wieviel Geduld.
Wir Kinder von Wien wissen's zu sagen.
Empörte sich der und jene,
entwachsen kaum den Knaben- und Mädchenjahren,
empörten sich wider dich,
deine Schönheit, deinen Stolz, deinen Tanz, dein Spiel,
und entliefen durch die von dir weit geöffneten Türen,
– denn keinen hieltest du, jeder ließest du ihr Schicksal –
entliefen sie dir mit dem Trotz und dem Hader der Jugend
ins Wilde und Weite,

schöne Mutter, oft viel zu schöne Mutter,
du saßest und sahest ihnen unbewegt und schweigend nach,
mit deinen großen, samtenen Augen voll schimmernder Feuchte.
Aber was war es jetzt, da wir von dir liefen,
was sie feuchtete?
Der Stolz auf deine ewige Jugend oder der Schmerz über unsere trotzige
    Jugend?
Du saßest und wartest. Auf einen jeden von uns.
Mit wieviel Geduld, nie endender Geduld der Mutter.
Du weißt, wir kehren dir alle zurück,
wie wir auch von dir schieden,
laß nur die Jahre vergehen,
laß nur das Wilde sich ausrasen,
und auch das Weite wieder eng werden –
wir kehren alle zu dir zurück – wir Kinder von Wien.
Und jeden empfängst du mit liebender Gebärde,
und er sinkt dir in den Schoß
und du streichelst über sein grauendes Haar
und du erzählst mit der Stimme,
zwischen Flüstern und Singen,
die wir Kinder als Kleine von dir gehört
und nie vergessen haben.
Erzählst
von den Brunnen und Plätzen, von den Palästen und Kirchen,
von den kleinen Häusern und Gärten, von den Hügeln voll Wein
und von dem Strom zwischen den letzten Bergen.
Und wir hören, wie wir dir auch entliefen,
deine Stimme glücklich wieder,
geliebte Stimme,
geliebteste Stimme,
sind wieder bei dir,
alle,
schöne Mutter, oft viel zu schöne Mutter,
wir Kinder von Wien.

Oskar Maurus Fontana

Quellennachweis

Anton Böhm, Phänomen Wien (S. 52). Aus: „Spectrum Austriae", Herder-Verlag, Wien

Heimito von Doderer, Die Strudlhofstiege (S. 61). Aus: „Die Strudlhofstiege", Biederstein-Verlag, München

Marie von Ebner-Eschenbach, Vom alten Burgtheater (S. 55), Der alte Herr Hofrat (S. 66). Aus den Gesammelten Werken, Winkler-Verlag, München

Oskar Maurus Fontana, Wir Kinder von Wien (S. 104). Aus: „Auf den Spuren der Sterne", Österreichische Verlagsanstalt, Wien

Richard Groner, Das Kärntnertor-Theater (S. 47). Aus: „Wien wie es war", Molden-Verlag, Wien

Hans Handler, Die Spanische Reitschule (S. 40). Mit Genehmigung des Bundesministeriums für Land- und Forstwirtschaft

Fred Hennings, Die „Gegend" vor der Burg (S. 49). Aus: „Die Ringstraßen-Symphonie", 3. Teil, Herold-Verlag, Wien

Hugo von Hofmannsthal, Die wundervolle Stadt (S. 7). Aus den Gesammelten Werken, S.-Fischer-Verlag, Frankfurt

Ann Tizia Leitich, Dirndl und Dame (S. 48), Die schönen Frauen des Biedermeier (S. 71). Aus: „Die Wienerin", Forum-Verlag, Wien

Willy Lorenz, Sankt Stephan als Symbol (S. 44), Abschiedsbrief an einen Wiener böhmischen Schuhmachermeister (S. 62), Schicksal und Geheimnis der Stadt (S. 79). Aus: „Allen Ernstes ist Österreich unersetzlich", Herold-Verlag, Wien – München

Hans Nüchtern, Das Riesentor (S. 46). Aus: „Der Steinerne Psalter", Bergland-Verlag, Wien

Alois Schmiedbauer, Das Schweizertor und der Schweizerhof (S. 43). Aus: „Werke und Stätten weltlicher Kunst in Österreich", Tyrolia-Verlag, Innsbruck – Wien – München

Reinhold Schneider, Aufgesang (S. 7), Klosterneuburg (S. 102). Aus: „Winter in Wien", Verlag Herder, Wien

Josef Weinheber, Ancien régime (S. 42), Grinzinger Weinsteig (S. 96). Aus: „Wien wörtlich", Hoffmann und Campe, Hamburg – Staatsoper (S. 39). Aus: „Hier ist das Wort", Hoffmann und Campe, Hamburg – Kaisergruft (S. 43). Aus: „Späte Krone", Hoffmann und Campe, Hamburg – Sieveringer Oktoberlied (S. 97). Aus: „O Mensch gib acht", Hoffmann und Campe, Hamburg – Von Wirten und Weinen (S. 73), Wien, Stadt im Grünen (S. 84), Vorfrühling in Schönbrunn (S. 85), Stadtrandimpressionen (S. 89). Gesammelte Werke, Otto-Müller-Verlag, Salzburg

Anton Wildgans, Die alte Josefstadt (S. 59). Aus: „Musik der Kindheit", Verlag Kremayr & Scheriau, Wien

Weitere Tyrolia-Großbildbände von Robert Löbl

Österreich in Farben

Neuausgabe des Großbildbandes mit 80 Farbbildseiten, mit dreisprachiger Einführung von Gertrud Fussenegger und dreisprachigen Bildtexten
192 Seiten, Leinen

Robert Löbls Bildbände sind weit mehr als Sammlungen von Landschaftsphotographien: Sie lassen das Bild eines Landes lebendig erstehen. Im neu aufgelegten Bildband „Österreich in Farben" spannt Löbl einen breiten Bogen durch die topographisch, ethnisch, kulturell und geschichtlich vielgliedrige österreichische Landschaft vom Bodensee bis zum Neusiedler See. Von hohem Informationswert und literarischem Niveau sind die harmonisch eingefügten Textbeiträge, voran Gertrud Fusseneggers einführendes Essay „Österreichs Kulturbewußtsein gestern und heute".

Steiermark in Farben

Mit dreisprachiger Einführung und dreisprachigen Bilderläuterungen. Textredaktion: Alexandra Göbhart, Graz
284 Seiten, bedruckter Vorsatz, Leinen (Tyrolia-Styria)

Tirol in Farben

Großbildband über Nord- und Osttirol mit 80 Farbbildseiten, viersprachiger Einführung „Farbiges Bergland" von Joseph Leitgeb und viersprachigen Bildtexten
208 Seiten, Leinen

Südtirol in Farben

Großbildband mit 84 Farbbild- und 128 Textseiten, mit viersprachiger Einführung „Landschaft und Schicksal" von Gertrud Fussenegger und viersprachigen Bilderläuterungen
212 Seiten, Leinen

Salzburg in Farben

Großbildband mit 76 Farbbildseiten und 144 Textseiten mit mehrsprachiger Einführung und mehrsprachigen Bilderläuterungen von Professor Franz Braumann sowie einem Vorwort von Professor Bernhard Paumgartner (gest.). Schriftleitung: Professor Franz Braumann
220 Seiten, Leinen

Oberösterreich in Farben

Großbildband mit 72 Farbbildseiten und 118 Textseiten, mit mehrsprachiger Einführung, mehrsprachigen Bilderläuterungen und Textauswahl von Professor Franz Braumann
190 Seiten, Leinen (Tyrolia – OÖ. Landesverlag)

In Vorbereitung ein neuer Farbbildband von Herbert Fasching:

Niederösterreich in Farben

Großbildband mit 80 Farbbildseiten und 112 Textseiten, mit mehrsprachigen Bilderläuterungen und Textauswahl von Dr. Ingeborg Ornazeder

Geburtstag 1877